# FRANÇOIS,
## LE PRINTEMPS DE L'ÉVANGILE

*Ouvrages du même auteur p. 179*

Frédéric Lenoir

# François,
## le printemps de l'Évangile

Fayard

Couverture : Un chat au plafond
Cité du Vatican, place St-Pierre le 4 décembre 2013.
© Filippo Monteforte/AFP
Photo de l'auteur © Andreu Dalmau/EPA/MAXPPP

ISBN : 978-2-213-68173-3

*Ne nous laissons pas voler l'Évangile !*

Pape François,
« La joie de l'Évangile[1] »

touchés par ses gestes et ses paroles en faveur des pauvres, des exclus, des marginaux, des réfugiés, des femmes et des enfants victimes d'esclavage sexuel ; touchés par sa condamnation sans appel de la logique financière qui détruit l'homme et la planète, son souci de justice sociale, son engagement en faveur de la paix ; touchés par son refus de juger ceux qui ne marchent pas dans les clous de la morale chrétienne traditionnelle, à commencer par les homosexuels et les divorcés remariés.

Aux antipodes du caractère institutionnel et solennel de sa fonction, il émane de ce pape « un parfum d'Évangile », pour reprendre sa propre expression. Et c'est cela le propos de ce livre. Car parmi les nombreuses personnes qui sont émues par la parole et la personnalité de François, bien peu connaissent vraiment les paroles de Jésus, le message d'amour et de libération qu'exprime l'Évangile, cette « Bonne Nouvelle » dont l'annonce constitue le véritable programme du nouveau pape. Or, de là découleront toutes les nécessaires réformes ecclésiales. Ce que François entend avant tout promouvoir, c'est un nouvel état d'esprit, un changement des mentalités afin que l'Église retrouve sa première raison d'être : témoigner, à la suite du Christ, que Dieu n'est pas un juge, mais un libérateur, que l'amour qui redresse est plus important que la loi qui condamne, que l'Évangile est un message de vie qui humanise.

Comme tous les observateurs, j'ai été surpris par l'élection du cardinal Jorge Bergoglio comme 265ᵉ successeur de l'apôtre Pierre à la tête de l'Église catholique. Surpris mais profondément réjoui ! Je commentais alors ce choix en direct, au journal télévisé, et dès que son nom fut prononcé, je ne pus dissimuler mon enthousiasme, affirmant d'emblée que cette élection constituait un événement spirituel considérable. Je me souvenais en effet que l'abbé Pierre, au retour d'un voyage en Argentine, m'avait confié avoir été touché par le témoignage de cet évêque qui avait renoncé à vivre à l'abri de son luxueux palais épiscopal et qui allait rendre visite en bus aux indigents et déshérités des bidonvilles. J'avais aussi en mémoire que ce jésuite simple et chaleureux aurait pu être élu pape en 2005 à la place de Benoît XVI, s'il n'avait supplié ses partisans, parmi ses pairs, de ne plus voter pour lui. C'est principalement pour cette raison que nul n'avait imaginé qu'il pourrait être élu lors de ce nouveau conclave. Et si le mot « spirituel » m'est immédiatement venu à l'esprit, c'est que je pressentais que ce pape allait tenter d'imprimer un nouvel et puissant souffle évangélique à l'Église.

Au terme de la première année de son pontificat, on peut affirmer que François est bel et bien en train d'engager l'Église de Rome dans un véritable retour aux sources. Il entend la ramener, par-delà toutes les avanies et contradictions de sa longue histoire, vers la vérité du message de Jésus qui constitue une extraordinaire révolution des mentalités en valorisant l'amour par rapport au rituel ou à la loi, le bien de l'individu par rapport à l'intérêt du groupe, le service par rapport au pouvoir, la faiblesse par rapport à la force, la sobriété par rapport à l'avidité et à la richesse.

Après avoir brossé un portrait de François et rappelé les moments forts de sa vie dans une première partie, je consacrerai les suivantes à une analyse de ses gestes, de ses actes et de ses propos depuis qu'il est pape à travers les trois thèmes qui lui sont les plus chers : son souhait d'une Église pauvre et humble ; son désir de remettre l'amour et la miséricorde au cœur de toute pratique ecclésiale ; sa volonté d'ouvrir l'Église et de l'impliquer dans les grandes questions de notre temps : la justice sociale, l'écologie, le dialogue entre les peuples et les cultures en vue du bien commun de l'humanité. Ces propos du pape m'amèneront, pour chacun de ces thèmes, à rappeler et à expliciter le message du Christ sur lequel il les fonde, mais aussi certaines dérives historiques de l'Église qu'il entend aujourd'hui corriger à travers des réformes concrètes.

En ce début chaotique de XXI^e siècle, c'est bien l'Évangile qui refleurit.

# PREMIÈRE PARTIE

# « Je suis un pécheur sur lequel le Seigneur a posé son regard[2] »

# 1

# *Celui que nul n'attendait*

La courageuse renonciation de Benoît XVI restera sans doute l'événement majeur d'un pontificat contrasté, ponctué de polémiques et secoué de nombreux scandales qui ébranlèrent la Curie romaine (le gouvernement de l'Église). Elle allait déboucher sur un autre fait de portée historique : l'élection du premier pape issu du continent américain. Ce double événement aurait sans doute été bien vite oublié si les cardinaux avaient élu le candidat sud-américain le plus en vue avant le conclave de mars 2013 : le cardinal brésilien Odilo Pedro Scherer, très conservateur archevêque de São Paulo, soutenu par une Curie en pleine décomposition. C'est d'ailleurs ce qui causa sa perte, car les cent quinze prélats électeurs, pour la plupart exaspérés par les intrigues romaines, voulaient un gouvernement de l'Église plus transparent, à l'opposé de celui qu'avaient ébranlé depuis plusieurs décennies des scandales à répétition : mort suspecte du pape Jean-Paul Ier ; blanchiment de l'argent du crime provenant de la Mafia italienne par la banque du Vatican, corruption dans l'attribution des marchés publics ; dissimulation, jusqu'à la fin des années 1990, des actes pédophiles perpétrés impunément par de nombreux prêtres ; intrigues de palais qui ont conduit le majordome de Benoît XVI à divulguer dans la presse une centaine de documents confidentiels (Vatileaks), etc.

La campagne menée en faveur d'Odilo Scherer par le secrétaire d'État (sorte de Premier ministre) Tarcisio Bertone, personnalité la plus controversée du Vatican, et le soutien apporté au cardinal brésilien par l'actuelle Curie romaine quelques jours seulement avant l'ouverture du conclave ont finalement conduit la majorité des cardinaux à tourner leur regard vers un autre candidat. L'idéal était qu'il ne soit pas italien, afin d'éviter les intrigues romaines : cela ruinait, du coup, les chances de l'autre grand favori : Angelo Scola, le cardinal archevêque de Milan.

C'est alors que Jorge Bergoglio intervient devant les congrégations générales des cardinaux, deux jours seulement avant le début du conclave. Son discours marque profondément les esprits et le replace dans la course malgré son âge (il a soixante-seize ans), sa santé relativement fragile et, surtout, son refus, huit ans plus tôt, d'être en compétition avec le cardinal Ratzinger (futur Benoît XVI) lors du conclave de 2005. « Évangéliser doit être la raison d'être de l'Église, rappelle avec force et gravité le cardinal Bergoglio à cette occasion. Ce qui suppose qu'elle ait l'audace de sortir d'elle-même. L'Église est appelée à sortir d'elle-même pour aller jusqu'aux périphéries – les marges géographiques, mais aussi existentielles : là où gît le mystère du péché, de la douleur, de l'injustice, de l'ignorance, là où le religieux et la pensée sont méprisés, là où prospèrent toutes les misères. Quand l'Église ne sort pas d'elle-même pour évangéliser, elle devient autoréférentielle et tombe malade. Les maux qui, au fil du temps, frappent les institutions ecclésiastiques prennent racine dans cette autoréférencialité, qui est une sorte de narcissisme théologique. »

C'est à cet instant précis, soit quatre jours avant son élection, que Jorge Bergoglio est devenu pape dans le cœur d'une bonne partie des cardinaux. Il définissait un programme fort différent de celui de son prédécesseur qui s'était focalisé sur le « centre » plutôt que sur la périphérie, sans pour autant parvenir à le réformer, et en concentrant l'essentiel de ses efforts à tenter (sans succès) de réintégrer dans le giron de l'Église les intégristes issus du schisme de Mgr Lefebvre. En expliquant aux cardinaux que l'Église ne guérira de ses maux que si elle cesse de se regarder pour s'ouvrir au monde et se consacrer entièrement à l'annonce de l'Évangile dans tous les lieux déshumanisés, Jorge Bergoglio souhaite lui voir imprimer une orientation forte qui renoue avec l'idéal du concile Vatican II. Il ne pensait sans doute pas qu'il serait l'homme capable de mener à bien cette tâche. Mais deux cardinaux soucieux d'une profonde réforme de l'Église l'en auraient convaincu juste avant l'ouverture du conclave : Sean Patrick O'Malley, archevêque de Boston (qui a mené une lutte sans merci contre les prêtres pédophiles aux États-Unis), et Cláudio Hummes, archevêque émérite de São Paulo. Tous deux ont aussi en commun d'être des religieux issus de l'ordre fondé par saint François d'Assise (le premier est capucin, le second franciscain).

Lorsque le seuil fatidique des deux tiers des voix est atteint, scellant l'élection du souverain pontife, des applaudissements retentissent. Celui qui avait expliqué à ses proches, inquiets à l'idée de ne pas le voir revenir en Argentine : « Ne vous inquiétez pas, il n'y a aucune possibilité que je devienne pape », affirme avoir alors ressenti « une profonde et inexplicable paix ». Le cardinal Hummes, assis à ses côtés, l'embrasse et lui murmure à l'oreille : « N'oublie pas les pauvres. »

Jorge Bergoglio décide à cet instant de prendre le nom de François en hommage au *Poverello*, le pauvre d'Assise. Une fois le décompte du scrutin terminé – il est élu avec quatre-vingt-dix voix sur cent quinze –, le pape lance aux cardinaux avec un sourire : « Que Dieu vous pardonne ! »

## 2

## *Fils d'immigré*
## *et danseur de tango*

Ses origines piémontaises auraient-elles séduit quelques cardinaux italiens ? Le pape est en tout cas parfaitement bilingue, puisque son père, Mario, a émigré à Buenos Aires en 1929 à l'âge de vingt et un ans et a épousé quelques années plus tard Regina, une Argentine. Aîné de cinq enfants, Jorge est né le 17 décembre 1936. Seule sa dernière sœur, María Elena, est encore en vie.

Le père travaille dur comme comptable tandis que la mère élève les enfants. Mais, dès la naissance de son frère cadet, Jorge est confié aux soins de sa grand-mère paternelle Rosa, qui vit juste à côté du domicile familial. C'est elle qui lui communique sa foi vive et profonde, et le pape affirmera à de nombreuses reprises que Rosa a été la personne qui l'a le plus marqué au cours de son existence. Il a aussi été influencé dans ses goûts artistiques par sa mère qui écoutait avec passion des airs d'opéra à la radio. Le futur pape devient également un grand amateur de tango... Enfant et adolescent, il joue tous les jours au football, après l'école et, selon ses anciens coéquipiers, s'il n'était pas le meilleur joueur, il était le véritable stratège de l'équipe. Jorge Bergoglio a gardé à ce jour cette passion pour le ballon rond et continue d'être un fervent *tifoso* du club local de San Lorenzo.

À douze ans, Jorge connaît sa première grande histoire sentimentale. Il tombe éperdument amoureux d'Amalia, une petite voisine qu'il rêve d'épouser. Il lui écrit une lettre dans laquelle il affirme : « Si je ne me marie pas avec toi, je me fais prêtre. » Le père d'Amalia intercepte l'épître et flanque à sa fille une telle raclée qu'elle refuse ensuite de fréquenter Jorge.

La même année, Mario demande à son fils de l'aider au bureau en sus de ses études au collège. À quinze ans, il est engagé dans un laboratoire d'analyses tout en poursuivant sa scolarité dans un cours industriel où il étudie la chimie. Parallèlement à ce travail absorbant, il continue à pratiquer le football, mais aussi le basket, écoute des opéras et des disques de tango, se découvre une véritable passion pour la littérature, notamment à travers les œuvres de Dante, Hölderlin,

Manzoni et Borges. Selon les témoignages concordants de ses amis de l'époque, Jorge est un garçon très sociable, ouvert aux autres, aimant s'amuser. Il participe à de nombreux bals et se révèle un excellent danseur de tango !

Sa vie bascule un jour de septembre 1954. Alors âgé de dix-sept ans, il se rend à une fête d'étudiants en compagnie d'une petite amie et d'une poignée de camarades. Tandis qu'ils passent devant une église, Jorge se sent irrésistiblement poussé à fausser compagnie à ses amis pour pénétrer dans l'édifice. Il se confesse à un prêtre qu'il ne connaît pas et ressent un irrévocable appel intérieur à consacrer sa vie à Dieu : « C'est ce jour-là que j'ai senti que je devais me faire prêtre. Je n'ai eu aucun doute. Aucun ! » Jorge attend encore trois ans et la fin de ses études pour annoncer à ses proches son choix d'entrer au séminaire. Son père l'approuve, mais sa mère fond en larmes : « Je ne te vois pas curé », répétera-t-elle encore pendant des années à son fils avant de se résoudre à accepter cette perspective.

Durant sa première année de séminaire – il a alors vingt et un ans –, Jorge est fortement éprouvé. D'abord par une intense passion amoureuse qui ébranle sa vocation : « Quand j'étais séminariste, j'ai été ébloui par une fille que j'avais rencontrée au mariage d'un de mes oncles. J'ai été sidéré par sa beauté, son rayonnement intellectuel... et bon, pendant quelque temps, j'ai été tout "embrouillé", la tête me tournait[3]. »

Dans ce difficile contexte Jorge est hospitalisé pour de terribles douleurs dans le dos. On finit par diagnostiquer une pneumonie et on lui fait subir une ablation d'un lobe du poumon droit. Jorge a frôlé la mort. Toute sa vie il gardera des séquelles de ce grave accident de santé. Il s'essouffle rapidement et souffre d'une arthrose lombaire qui l'oblige à prendre régulièrement des corticoïdes.

Sitôt sorti de l'hôpital, quelques mois plus tard, il regagne le séminaire. Plus rien ne viendra désormais compromettre sa vocation.

# 3

## *Un jésuite controversé*

À vingt-deux ans, Jorge quitte le séminaire pour intégrer l'ordre des Jésuites. Fondée au XVIᵉ siècle par Ignace de Loyola, la Compagnie de Jésus est l'un des principaux ordres religieux masculins. Annonce de l'Évangile, éducation et justice sociale sont les principaux buts que s'assigne la Compagnie qui possède de nombreux collèges à travers le monde. Jorge Bergoglio a souvent déclaré que son choix de devenir jésuite fut d'abord motivé par son désir de vivre en communauté. Préférant la vie de groupe des religieux à celle, solitaire, du clergé diocésain, Jorge manifeste ainsi un trait marqué de sa personnalité : son besoin d'être « en lien ». C'est d'ailleurs ce qui motivera, une fois élu pape, sa décision de ne pas résider dans l'appartement du palais pontifical, mais de rester dans l'hostellerie de la maison Sainte-Marthe où ont séjourné les cardinaux pendant toute la durée des congrégations et du conclave. Outre la simplicité du lieu, François apprécie d'y être entouré de ses collaborateurs et des nombreux hôtes et amis de passage. Ce pape issu d'une famille nombreuse, qui préfère vivre dans une maisonnée animée plutôt qu'être confiné dans un palais, a toujours manifesté un goût profond de la vie en groupe, en bande, en communauté. Il aime évoluer au milieu des autres, se sentir relié à eux, entendre à ses côtés les bruits de la vie, et partager tous ses repas avec un ou plusieurs convives.

Pendant quatorze ans, Jorge poursuit sa longue formation religieuse et intellectuelle avant de prononcer ses vœux perpétuels. Trois ans auparavant, en 1969, il été ordonné prêtre. Il est titulaire d'une maîtrise de philosophie et de théologie, mais, contrairement à ce qui est mentionné dans son curriculum vitae publié par le service de presse du Vatican, il n'a jamais soutenu sa thèse de doctorat. Seulement trois mois après sa profession perpétuelle (avril 1973), il est élu provincial (supérieur) des jésuites d'Argentine. Il a alors à peine trente-six ans et occupe cette charge pendant six ans. Cette période est l'une des plus difficiles de sa vie. D'abord, il est très jeune pour endosser une telle responsabilité et exerce son gouvernement de manière assez autoritaire, parfois même cassante, ce qui lui vaut d'être catalogué par certains jésuites comme un homme rigide et conservateur. Une fois devenu pape, il a tenu à s'en expliquer dans son long entretien avec le père Spadaro : « Ma manière rapide et autoritaire de prendre des décisions m'a conduit à avoir de sérieux problèmes et à être accusé d'ultraconservatisme [...], mais je n'ai jamais été de droite. C'est ma manière autoritaire de prendre les décisions qui a créé des problèmes. [...] Avec le temps, j'ai appris beaucoup de choses[4]. »

Ensuite le contexte socioculturel – mouvement de la « contre-culture » et libération des mœurs – est difficile pour l'Église catholique qui traverse une crise importante d'un bout à l'autre de la planète. Au cours des années 1970, près de dix mille jésuites quittent la Compagnie (ils passent de 36 000 à 26 000 et leur effectif est aujourd'hui d'un peu plus de 17 000 à travers le monde).

Enfin et surtout, la situation sociale et politique en Argentine est dramatique. Face à la paupérisation croissante de larges strates de la population qui viennent grossir les bidonvilles, de nombreux jésuites s'engagent dans la lutte pour plus de justice sociale. Le père Bergoglio est partagé : d'un côté, il a une fibre sociale aiguë qui le pousse à soutenir ces initiatives, mais, de l'autre, il refuse toute forme de combat recourant à des moyens violents et récuse un engagement politique de type marxiste. Comme en de nombreux autres pays d'Amérique latine, les jésuites argentins sont ainsi partagés entre adeptes d'une « théologie de la libération » qui passe par une lutte politique radicale et ceux qui, comme Bergoglio, entendent limiter ce combat à un engagement auprès des plus pauvres (soutien matériel et sanitaire, éducation et formation) et à l'utilisation de moyens légaux (actions en justice en leur faveur). Ainsi, avec l'aval de ses supérieurs, Bergoglio est-il amené à exclure plusieurs jésuites de l'ordre.

C'est dans cette conjoncture que survient le coup d'État de mars 1976 qui porte une junte militaire au pouvoir. Deux mois plus tard, Orlando Yorio et Francisco Jalics, deux jésuites en rupture avec leur ordre, sont enlevés et torturés pendant cinq mois. En 2000, avant de mourir, le père Yorio a laissé un témoignage selon lequel le père Bergoglio aurait pu être impliqué dans leur rapt et n'aurait en tout cas rien fait pour les faire libérer. Ce témoignage, rapporté de manière posthume, suscite une polémique et une vive émotion dans le monde entier au lendemain même de l'élection de

François. En fait, l'affaire est retombée presque aussitôt, car plusieurs témoins de premier plan ont démenti cette version des faits, à commencer par l'autre jésuite capturé, le père Jalics, qui affirme qu'ils n'avaient nullement été dénoncés par Bergoglio, mais furent arrêtés à cause de leurs liens avec une catéchiste qui avait rejoint la guérilla. Il précise même que Bergoglio était intervenu auprès de la junte pour demander – et finalement obtenir – leur libération, ce que confirme également le président de la Cour suprême de justice d'Argentine qui a examiné l'ensemble du dossier. Le pape François reçoit aussi en la circonstance le soutien du principal opposant à la junte, le Prix Nobel de la paix Adolfo Pérez Esquivel, qui affirme à la BBC que Bergoglio n'a jamais entretenu le moindre rapport avec la dictature militaire, ainsi que celui des responsables des principales ONG argentines de défense des droits de l'homme (APDH[5] ou Conadep). Dans les semaines qui suivent cette brève polémique, la presse argentine est même inondée de centaines de témoignages de personnes qui racontent comment le père Bergoglio leur est venu en aide pendant ces années noires, profitant de son statut de supérieur des jésuites pour les protéger ou les faire libérer sans ostentation[6].

curé d'une église paroissiale. C'est surtout dans cette dernière charge qu'il s'investit profondément, laissant toujours sa porte ouverte pour accueillir, dialoguer, confesser, soutenir, mais aussi allant à la rencontre des gens des quartiers les plus pauvres où il fonde quatre églises et trois cantines. Le 19 novembre 1985, le quotidien *El Litoral* publie une enquête rapportant l'extraordinaire transformation de certains quartiers misérables grâce au travail du nouveau curé. L'article est intitulé : « Les miracles du père Bergoglio ».

Quelques mois plus tard, ses supérieurs prennent pourtant l'insolite décision d'exiler le religieux en Allemagne afin qu'il y entame un doctorat en théologie ! On ignore les sentiments qui animent alors ce dernier, mais il obéit sans ciller et se rend à l'université jésuite Sankt Georgen, à Francfort, pour y apprendre l'allemand et entreprendre une thèse sur le théologien Romano Guardini. Mais nouveau coup de théâtre : au bout de seulement quelques mois, on décide de le renvoyer en Argentine comme curé d'une église de Córdoba, ville distante de plus de 800 kilomètres de la capitale. Bergoglio abandonne donc sa thèse à peine esquissée et repart dans son pays.

À Córdoba, le nouveau curé s'investit corps et âme dans sa charge pastorale, tout particulièrement auprès des plus nécessiteux. Il expliquera plus tard que c'est là, dans le service des pauvres, qu'il a le plus appris. Sur l'être humain, sur lui-même, mais aussi sur le Christ. Mieux qu'un doctorat de théologie à l'université, Jorge Bergoglio a poursuivi sur le terrain, dans les quartiers les plus défavorisés, un doctorat en humanité qui lui a fait mesurer, selon ses propres termes, la façon dont « le Christ se révèle dans le visage du pauvre, du mal aimé, du souffrant ».

Il aurait pu demeurer toute sa vie le curé anonyme d'une modeste paroisse, mais le destin en a décidé autrement. Mgr Antonio Quarracino, cardinal primat d'Argentine et archevêque de Buenos Aires, se rend un jour à Córdoba. Il rencontre pour la première fois le père Bergoglio, qui lui fait une forte impression : il prendra par la suite l'habitude de l'appeler « le petit saint ». Il cherche un évêque auxiliaire pour l'assister dans les quartiers les plus défavorisés de Buenos Aires. Il est convaincu d'avoir trouvé l'homme de la situation. Malgré l'opposition de l'ambassadeur d'Argentine auprès du Saint-Siège, qui juge Bergoglio par trop progressiste en matière sociale, le cardinal finit par convaincre Jean-Paul II de le faire nommer évêque auxiliaire. C'est ainsi que Jorge Bergoglio reçoit la mitre le 27 juin 1992. Il est alors âgé de cinquante-cinq ans.

Bien vite, le nouvel évêque s'attire la sympathie des prêtres de son diocèse, a priori sceptiques en voyant débarquer un jésuite qui avait été mis sur la touche par son ordre. Mais Bergoglio a tenu compte des erreurs du passé. Il a appris à écouter, il prend le temps de rencontrer, de s'entretenir longuement avec tous les prêtres de son secteur avant de décider. Surtout, il est constamment sur le terrain. Il refuse d'avoir une voiture de fonction et prend donc chaque jour le bus pour se rendre dans les différentes paroisses et dans les bidonvilles, les bras chargés de sacs de nourriture et de vêtements pour les familles qu'il a rencontrées les jours précédents. « Padre Jorge » (il refuse de se faire appeler « Monseigneur » ou « Excellence ») devient ainsi, au fil des ans, l'« évêque des pauvres ».

Fidèle à la ligne conservatrice de l'Église romaine sur le plan des mœurs, il surprend son clergé en demandant à ses prêtres de ne pas refuser d'administrer les sacrements à ceux qui ne sont pas en règle avec la morale catholique. Il insiste notamment sur l'importance de baptiser les enfants de parents non mariés ou qui sont divorcés et remariés. « L'Église doit faciliter la foi, non la réguler », a-t-il déjà coutume de dire.

# 5

# Un homme engagé
# qui dérange

En 1997, âgé et malade, Mgr Antonio Quarracino demande à Jean-Paul II de nommer Jorge
Bergoglio archevêque de Buenos Aires. Sa nomination surprend les Argentins : le jésuite était en effet
bien trop occupé par son travail de terrain pour
participer aux rencontres mondaines avec d'autres
ecclésiastiques et se mêler aux hommes politiques,
et son nom était alors inconnu du grand public.
Les choses ont tôt fait de changer : devenu archevêque primat d'Argentine en février 1998, puis
cardinal trois ans plus tard, il s'engage avec force
en faveur de la justice sociale et devient la terreur
de la plupart des dirigeants argentins qu'il accuse
publiquement de corruption ou dont il dénonce
la ligne économique génératrice d'injustices crois-
santes. Le 25 mai 1999, lors du *Te Deum* qui

réunit traditionnellement le gratin de la politique et des affaires dans la cathédrale Metropolitana de Buenos Aires, le père Bergoglio fustige l'action du gouvernement en présence du président Carlos Menem et de son Premier ministre, évoquant « les conflits qui menacent la société dans une Argentine où tous n'ont pas leur place à table, où seule une petite minorité profite, où le tissu social se dissout, où les fossés se creusent alors que les efforts devraient être faits pour le bien commun ». L'année suivante, il tient devant le nouveau président argentin, Fernando de la Rúa, un discours tout aussi brutal : « Il faut, à l'image du Christ, oser renoncer au pouvoir qui obsède et qui aveugle, et accepter d'exercer l'autorité qui sert et accompagne. Un petit nombre détient le pouvoir politique et financier, mais seule une communauté active, solidaire, travaillant ensemble, peut faire avancer la barque du bien commun. »

Les craintes du nouvel archevêque ne sont pas dépourvues de fondement : en décembre 2001, l'Argentine traverse une des plus graves crises sociales et politiques de son histoire. Des émeutes font des dizaines de morts et des centaines de blessés ; le chef de l'État est contraint de démissionner.

Bergoglio décide de s'impliquer encore plus directement dans le processus politique et organise de nombreuses réunions entre politiques, syndicalistes, chefs d'entreprise, magistrats, hauts fonctionnaires et responsables d'ONG, afin de trouver une issue positive à l'épreuve que traverse le pays, sans jamais chercher à se mettre lui-même en avant ou à faire valoir des revendications d'ordre religieux, mais ayant pour seul souci de promouvoir le bien commun. Il joue ainsi un rôle déterminant dans ce qu'on appellera le « dialogue argentin », qui permettra au pays d'éviter de verser dans le chaos.

Cinq jours après l'élection du pape François, l'ex-président argentin Eduardo Duhalde a écrit dans le grand quotidien argentin *La Nación* à propos de la crise de 2001 : « Nous, peuple argentin, avons réussi à faire face à ce que l'histoire considérera probablement comme l'une de nos plus grandes épopées collectives. Mais il y a eu dans ce sauvetage des figures providentielles, des personnalités hors normes, qui, en s'abstenant avec modestie d'occuper le centre de la scène, ont été déterminantes pour éviter le chaos social, lequel constituait un risque réel. Jorge Bergoglio a été l'un de ces hommes. »

Mais l'implication du cardinal Bergoglio dans la politique du pays n'est pas du goût de tous les dirigeants. Ainsi Néstor Kirchner, époux de l'actuelle présidente, apprécie-t-il peu les propos tenus par l'archevêque de Buenos Aires lors du traditionnel *Te Deum* de l'année 2004, un an après sa propre élection à la tête du pays : « La diffamation et les commérages, la transgression et toute la propagande qui l'accompagne, l'affaiblissement ou la destruction des institutions, font partie d'une longue liste de stratagèmes sous lesquels se dissimule et se protège la médiocrité, prête à faire chuter de manière aveugle tout ce qui la menace. » Kirchner n'assistera jamais plus à une messe célébrée par le cardinal Bergoglio et le considérera désormais comme son plus redoutable adversaire politique, à l'instar de son épouse Cristina qui, une fois élue, tentera de le discréditer en relançant les vieilles accusations de coopération avec la junte militaire à l'époque où il était supérieur des jésuites. Elle ne changera d'attitude à son endroit que lorsque le cardinal sera élu pape, soulignant alors dans la presse ses hautes qualités et sollicitant une audience privée… que François lui accordera, l'invitant même à déjeuner !

Le cardinal Bergoglio n'a par ailleurs cessé de s'impliquer dans de multiples affaires où des personnes étaient menacées par une police, une justice ou une administration corrompues. Ainsi apporte-t-il un soutien décisif à Gustavo Vera qui lutte contre les nouvelles formes d'esclavage sévissant à Buenos Aires (ateliers clandestins, prostitution). La vie de Vera s'est trouvée menacée lorsqu'il a mis au jour les complicités dont jouissaient les trafiquants d'êtres humains au sein de la police et de la justice. Il a demandé son aide au cardinal qui la lui a aussitôt prodiguée, non seulement en intervenant auprès des pouvoirs publics, mais aussi en rencontrant directement une vingtaine de victimes et en les aidant concrètement à s'extirper de leur situation désespérée. Quoiqu'athée, Vera affirme être devenu « plus papiste que le pape » : « C'est quelqu'un de merveilleux, de révolutionnaire ! Il va faire la même chose dans le monde entier », a-t-il déclaré à la presse argentine juste après l'élection de François – lequel ne s'est d'ailleurs pas fait faute de l'appeler le jour de son anniversaire !

Sa biographe, Evangelina Himitian[7] rapporte également l'histoire de Nancy Miño, simple fonctionnaire de police qui a eu le courage d'organiser une conférence de presse pour dénoncer un réseau de traite et de corruption au sein de la police fédérale. Bergoglio l'a alors appelée pour la rencontrer. Il est ensuite intervenu, avec le soutien de la presse, pour qu'une purge importante soit entreprise au sein des forces de l'ordre. Puis il a aidé Nancy à retrouver du travail et est encore intervenu pour qu'un collège catholique accueille son fils, car aucune école publique n'en voulait par crainte de violentes représailles.

Cet engagement public ne fait pas perdre à l'archevêque la simplicité de son mode de vie quotidien. Dès sa nomination à l'archevêché de Buenos Aires, il refuse qu'on lui confectionne de nouveaux et coûteux habits, et fait ajuster ceux de son prédécesseur qui vient de décéder. Il refuse également de vivre dans le palais épiscopal et s'installe dans un modeste trois-pièces où il continue d'assumer lui-même une bonne part des tâches ménagères (faire son lit, mettre son couvert, laver sa vaisselle). Autant qu'il le peut, il continue de se déplacer à pied ou en transports en commun, et se rend sans relâche dans les quartiers difficiles. Il double d'ailleurs le nombre de prêtres dans les bidonvilles et leur demande de rester vivre sur place, au milieu des plus mal lotis, afin de partager leurs angoisses et leurs soucis quotidiens. C'est ainsi qu'il nomme le fameux « Padre Pepe » dans un bidonville pour s'occuper des enfants victimes de la drogue. Le combat de ce prêtre sera médiatisé dans tout le pays lorsqu'il sera menacé de mort par les narcotrafiquants.

Chaque jeudi saint, Jorge Bergoglio délaisse le rituel du lavement de pieds des fidèles dans la cathédrale pour se rendre dans des hôpitaux, des centres de sans-abri ou des prisons, où il lave et baise également les pieds de malades du sida, de SDF ou de détenus. Ces rencontres ne sont pas sans lendemain, et le pape actuel continue encore d'écrire à des prisonniers qu'il a rencontrés depuis une quinzaine d'années lors de ces visites : « Je réponds à chacun. Cela me prend du temps, mais je compte bien ne jamais arrêter, a-t-il un jour déclaré. Jésus nous dit dans l'Évangile qu'au jour du Jugement nous aurons des comptes à rendre sur la façon dont nous avons agi. J'avais faim et tu m'as donné à manger ; j'avais soif, et tu m'as donné à boire ; j'étais malade et tu m'as rendu visite ; j'étais en prison, et tu es venu me voir. Jésus nous le demande à tous, et plus particulièrement à l'évêque, qui est le père de chacun[8]. »

# 6

## *Un parfum d'Évangile au Vatican*

Dès les premières minutes de son élection, on a senti souffler au Vatican un vent nouveau, empreint de simplicité et d'humilité : François apparaît au balcon sans la mitre papale ni la mozette bordée d'hermine, il se qualifie de simple évêque de Rome et, dans un geste historique, se penche vers les fidèles et les encourage à prier pour lui afin qu'il reçoive la bénédiction du Seigneur. Pour la première fois dans l'histoire, un souverain pontife demande ainsi au peuple d'intercéder au préalable pour lui avant même de lui donner sa bénédiction. Il ne se met pas dans la position surplombante liée à la fonction, mais s'abaisse et considère que c'est par cet abaissement que peut être nourrie la grâce de sa bénédiction.

Installé dans un appartement de la maison Sainte-Marthe, l'hostellerie du Vatican, à l'instar de n'importe quel hôte de passage, il y mène une vie très proche de celle qui était la sienne comme évêque de Buenos Aires. Il se lève avant l'aube, vers 4 h 30, et, après avoir sacrifié au sacro-saint rituel du café, il fait sa toilette, refait son lit, il médite en silence pendant une demi-heure avant de dire l'office dans sa petite chapelle privée avec un des trois secrétaires qui se succèdent auprès de lui tout au long de la journée. À 7 heures, il descend dire une messe basse à la chapelle de l'hostellerie devant un auditoire restreint de personnes célèbres ou anonymes ayant demandé à le rencontrer et qu'il salue individuellement au terme de la célébration, après un temps de prière silencieuse. Petit détail émouvant qui nous est révélé par Caroline Pigozzi dans son beau livre cosigné avec le père Madelin[9] : le pape donne la communion sous la forme d'hosties fabriquées par une détenue argentine, Gabriela Caballero, qui les lui expédie depuis sa prison de San Martin, près de Buenos Aires.

Entre 8 et 9 heures, le pape prend son petit déjeuner, dans la salle à manger de l'hostellerie, en compagnie d'un ou de plusieurs invités. Il partage sa matinée entre la lecture de la presse et de ses dossiers, dans son bureau, et des audiences au palais pontifical où il se rend vers 10 h 30 pour recevoir chefs d'État ou ambassadeurs. C'est aussi là qu'il voit le plus souvent son nouveau secrétaire d'État, Mgr Pietro Parolin. Puis il examine les multiples dossiers avec la collaboration du secrétaire d'État ou d'autres prélats en charge des divers dicastères (institutions) gérant les grandes affaires de l'Église : congrégations, tribunaux, conseils pontificaux, services administratifs du Saint-Siège, etc. Il étudie aussi les dossiers strictement romains et se rend autant qu'il le peut sur le terrain. Car le pape est tout à la fois le chef d'un État de quarante-quatre hectares (le plus exigu du monde), le pasteur de la plus importante religion avec l'islam (environ 1,2 milliard de fidèles), et l'évêque de Rome.

Il retourne ensuite déjeuner vers 14 heures à la maison Sainte-Marthe où il reçoit généralement plusieurs invités. Caroline Pigozzi rapporte cette remarque d'un cardinal bien informé : « Il est plus difficile d'empoisonner sept personnes qu'une... Ainsi, si le souverain pontife ne déjeune jamais seul, vous pouvez en tirer quelques conclusions[10]... » Après une sieste de quarante-cinq minutes, il retourne travailler à son bureau. C'est à ce moment-là, entre 16 et 19 heures, qu'il lit, répond à son courrier et passe de nombreux coups de fil sur une ligne fixe sécurisée (il n'a pas de téléphone portable). C'est ainsi qu'il appelle régulièrement de simples anonymes dont le courrier l'a touché. Il peut rester, paraît-il, une dizaine de minutes au téléphone à s'exprimer sur le ton direct et chaleureux qui lui est habituel... mais qui aurait plutôt l'effet de figer ses interlocuteurs, peu habitués à bavarder avec un pape sur un mode aussi familier ! François en profite aussi pour appeler des amis argentins ou ceux qu'il connaît et suit depuis longtemps. Son premier coup de fil en tant que pape a été pour son marchand de journaux pour l'avertir qu'il ne viendrait plus lui acheter la presse. Lorsque ce dernier lui a demandé comment il devait dorénavant l'appeler, le pape lui a répondu : « Appelle-moi Jorge, comme avant. »

Vers 19 heures, le pape reprend ses activités spirituelles et va prier seul durant une heure, en silence, devant le saint sacrement. C'est, affirme-t-il, la forme de prière qu'il apprécie le plus. C'est le moment où il se retrouve face à face avec le Christ. Puis il va prendre un léger dîner servi sous forme de buffet, qu'il partage le plus souvent avec quelques collaborateurs ou des hôtes de passage à la maison Sainte-Marthe. Enfin, il se retire dans son appartement où il travaille encore un peu, rédige ses homélies, lit, avant de dire seul l'office du soir et de se coucher aux alentours de 22 heures.

Hormis les quelques déplacements officiels qu'il effectue dans Rome ou à l'étranger, il rend aussi parfois visite à son voisin, le pape Benoît XVI. Il lui suffit pour cela de traverser un jardin. La relation entre les deux hommes est courtoise et chaleureuse. Elle est facilitée par la présence de Mgr Georg Gänswein, secrétaire particulier de Benoît XVI et actuel préfet de la Maison pontificale, qui organise les rendez-vous du nouveau pontife. Il paraît que François demande volontiers son avis au pape émérite qui se plaît beaucoup à le lui donner. Court aussi la rumeur selon laquelle François quitterait parfois le Vatican par une porte dérobée, à la nuit tombée, sous une ample pèlerine noire, pour se promener seul dans les rues romaines et aller à la rencontre de SDF, comme il le faisait à Buenos Aires jusqu'à son élection. Rumeur stupéfiante et, à ma connaissance, non encore vérifiée, mais qui correspondrait bien au caractère du personnage.

« Je ne veux pas être enfermé au Vatican ! » s'était exclamé le cardinal Bergoglio, en 2005, pour justifier son refus qu'on votât pour lui au conclave. Maintenant qu'il a accepté la charge suprême, ce ne serait pas étonnant qu'il cherche un moyen de continuer à respirer l'air qu'il préfère par-dessus tout : celui de la rue.

Comme on l'a vu, ce pape aime à rencontrer les gens de tous horizons. Et pas seulement rencontrer, mais aussi toucher, serrer dans ses bras, embrasser. Non seulement les hommes et les enfants, mais aussi les femmes, ce qu'aucun pape n'avait encore osé faire avant lui ! « C'est quelqu'un qui pense d'abord à étreindre les gens au lieu de les chasser. Je suis extrêmement impressionné par ce pape », a déclaré Barack Obama, sept mois après l'élection de François. Cette chaleur humaine, ce désir d'aller à la rencontre des gens là où ils vivent, cette approche physique, tactile d'autrui, relèvent sans nul doute du tempérament personnel du pape. Ils ne sont pas sans rappeler aussi l'attitude de son modèle, Jésus, qui errait de village en village, faisant preuve d'une rare écoute et d'une grande familiarité avec ses interlocuteurs, se laissant souvent toucher par eux, surtout par ceux que la société de son temps considérait comme « impurs » : les lépreux ou les prostituées.

# DEUXIÈME PARTIE

# « Je désire une Église pauvre pour les pauvres[11] »

# 1

# L'Évangile : une bonne nouvelle pour les pauvres et les exclus

Il règne une drôle d'atmosphère au Vatican depuis l'élection de François. Seulement trois jours après son élection, il déclare lors de sa première rencontre avec la presse : « Ah ! Comme je voudrais une Église pauvre, et pour les pauvres ! » Et, depuis qu'il leur a tenu un discours incendiaire dénonçant leur « arrogance », leur « mondanité » et leur « goût du luxe », certains prélats italiens ont délaissé les grosses cylindrées et les habits luxueux pour des véhicules et des vêtements plus modestes. Les autres n'ont plus vraiment la conscience tranquille. Le pape a donné lui-même l'exemple en refusant tout luxe lié à sa fonction : des célèbres mocassins de cuir rouge aux limousines blindées, en passant par la croix en or ou le palais pontifical où il refuse de s'installer. Nous avons vu que son ministère de prêtre et d'évêque en Argentine avait été marqué au sceau de cette simplicité de vie et de cet engagement entier en faveur des plus pauvres. Un choix qui paraît assez singulier et radical, mais qui n'a pourtant rien de surprenant au regard de la vie de Jésus et de son message.

Le mot « évangile » signifie « bonne nouvelle ». C'est ainsi que Jésus lui-même définit sa mission, et c'est le terme qu'auront employé ses disciples pour qualifier la vie et les paroles de leur maître, un prophète juif né à Nazareth, en Galilée, qui se prétendait le « Fils de Dieu » et qui finit crucifié à Jérusalem par le procurateur romain Ponce Pilate, vers 30 de notre ère, à l'âge de trente-cinq ou trente-six ans[12]. Ses disciples affirment qu'il est ressuscité d'entre les morts et qu'il leur est apparu pendant quarante jours avant de disparaître définitivement de leur vue. Quelques décennies plus tard, des textes commencent à circuler pour raconter les faits, gestes et paroles de Jésus, que l'on appellera aussi « Évangiles », principalement ceux de Marc, Matthieu, Luc et Jean, qui ont été écrits par des témoins oculaires ou des disciples des témoins des événements rapportés. Tous font état de la grande simplicité de vie de Jésus : il mène une existence anonyme pendant plus de trente ans dans un hameau de Galilée (Nazareth ne comprenait qu'une cinquantaine de maisons à son époque) où il exerce le métier de menuisier. Puis il parcourt les chemins de Galilée et de Judée (il se rend chaque année à Jérusalem) pendant les trois années de sa vie publique. Accompagné d'un petit groupe de disciples (hommes et femmes), il continue alors de mener une vie très modeste, dormant le plus souvent à la belle étoile et portant une simple tunique. Lorsqu'il envoie ses disciples en mission, il leur demande de faire de même : « Il leur prescrivit de ne rien emporter pour la route, si ce n'est un bâton ; de n'avoir ni pain, ni sac, ni pièces de monnaie dans leur ceinture. "Mettez des sandales, ne prenez pas de tunique de rechange" » (Marc 6, 8-9).

Sans être dans la misère, Jésus vit pauvrement, mais il annonce aussi, dès le début de sa prédication, qu'il est venu s'adresser en priorité aux pauvres, aux malades, aux opprimés, à ceux qui sont dans la peine. Voici le passage où, commentant un texte du prophète Isaïe dans la synagogue de Nazareth, il explicite le sens et les destinataires de sa mission :

« Il se leva pour faire la lecture, et on lui remit le livre du prophète Isaïe. L'ayant déroulé, il trouva l'endroit où il était écrit : "L'Esprit du Seigneur est sur moi, Parce qu'il m'a oint pour annoncer une bonne nouvelle aux pauvres ; Il m'a envoyé pour guérir ceux qui ont le cœur brisé ; Pour proclamer aux captifs la délivrance, Et aux aveugles le recouvrement de la vue, Pour renvoyer libres les opprimés, Pour publier une année de grâce du Seigneur." Ensuite, il roula le livre, le remit au serviteur et s'assit. Tous ceux qui se trouvaient dans la synagogue avaient les regards fixés sur lui. Alors il commença à leur dire : "Aujourd'hui cette parole de l'Écriture, que vous venez d'entendre, est accomplie" » (Luc 4, 16-21[13]).

La prédication et tous les gestes de Jésus annoncent en effet cette « bonne nouvelle » que Dieu est amour et qu'il aime de manière inconditionnelle tous les êtres humains sans distinction de sexe, de peuple ou de religion. Que Dieu est proche des faibles, des humbles, des pauvres, des marginaux, des exclus, des cœurs brisés. Que la miséricorde divine est plus grande que l'abîme du Mal et que son pardon est toujours offert à qui veut l'accueillir. La pauvreté dont parle Jésus n'est donc pas seulement la pauvreté matérielle ; elle recouvre aussi la pauvreté intérieure : la tristesse, l'absence de sens, la douleur liée à une maladie, à une infirmité ou à une exclusion sociale. Est « pauvre » pour Jésus celui qui est malheureux, en souffrance physique, psychique, sociale ou spirituelle.

À la suite de Jésus, le pape François demande donc aux membres du clergé et à tous les religieux qui ont consacré leur vie à Dieu de vivre simplement. Comme nous l'avons déjà évoqué, il s'est offusqué du confort, voire de l'opulence dans lesquels vivent certains membres du clergé, et a choisi de mener la vie la plus simple possible en tant que souverain pontife. Mais il rappelle aussi que l'Église doit s'adresser par priorité aux pauvres, au sens à la fois concret et profond où Jésus l'entend : « De notre foi au Christ qui s'est fait pauvre, et toujours proche des pauvres et des exclus, découle la préoccupation pour le développement intégral des plus abandonnés de la société[14]. » Et François d'expliquer que si cette « option en faveur des pauvres » doit se traduire par une assistance matérielle et un soutien moral et spirituel, elle signifie aussi que les pauvres ont quelque chose à transmettre : « Je désire une Église pauvre pour les pauvres. Ils ont beaucoup à nous enseigner. […] par leurs propres souffrances ils connaissent le Christ souffrant. Il est nécessaire que tous nous nous laissions évangéliser par eux[15]. »

Même si elles souffrent de leur pauvreté ou de leur exclusion et que nous devons tout faire pour les aider à en sortir, les personnes démunies peuvent en effet nous « enrichir » de mille manières. J'en ai fait pour la première fois l'expérience à l'âge de vingt ans lorsque j'ai passé plusieurs mois en Inde dans un mouroir et une léproserie tenus par les sœurs de Mère Teresa. J'ai été bouleversé par deux choses : la générosité et la joie de ceux qui n'ont rien ou presque rien. Je me rappelle avoir un jour apporté un gros sac de riz à une famille dans un bidonville de Calcutta : la première chose que les membres de cette famille ont faite a été d'aller apporter une partie de cette précieuse nourriture à la famille voisine (qui n'était pas de la même religion qu'eux) parce que, me dirent-ils, « ils n'ont rien mangé ces derniers jours ». J'ai aussi constaté que s'ils ne sont pas terrassés par une extrême misère ou la souffrance morale, les défavorisés sont très souvent bien plus joyeux que les riches. Le pape François l'a maintes fois vérifié dans les bidonvilles de Buenos Aires : « Je peux dire que les joies les plus belles et les plus spontanées que j'aie vues au cours de ma vie sont celles de personnes très pauvres qui ont peu de choses auxquelles s'accrocher[16]. » En choisissant cette option d'une Église pour les pauvres, François se situe aux antipodes d'une attitude charitable « surplombante » et quelque peu méprisante que l'on rencontre parfois. Il montre que le soulagement de la misère matérielle et morale est un objectif prioritaire pour l'Église et, dans le même temps, que ceux qui en sont victimes ont, fréquemment, beaucoup à nous apprendre en humanité et en dignité.

# 2

# L'inversion
# des valeurs sociales

Par sa vie comme par son message, Jésus
opère une extraordinaire révolution des valeurs
sociales les plus communément admises en son
temps. Elle est si puissante que ses disciples, de
son vivant même, auront bien du mal à la comprendre, et les communautés chrétiennes auront
tendance, au fil des siècles, tout en continuant
d'annoncer l'Évangile, à renouer avec des mentalités et des pratiques que Jésus avait pourtant
dénoncées. Toute l'histoire de l'Église est ainsi
travaillée par ces contradictions, et si le pape
François touche si fort le cœur des gens, c'est
qu'il tente, par son témoignage et ses propos,
de revenir au plus près de ce message révolutionnaire qui n'a rien perdu de sa nouveauté.

Le monde antique est un univers fondamentalement aristocratique. Dans toutes les sociétés, les êtres humains sont divisés en catégories bien distinctes : les castes en Inde ; les esclaves, les hommes libres (citoyens) et les barbares (étrangers) en Grèce, puis dans l'Empire romain ; les juifs et les non-juifs ; les purs et les impurs ; les hommes et les femmes, etc. Tous les êtres humains n'y sont pas égaux : les hommes valent plus que les femmes, les citoyens plus que les esclaves, les brahmanes plus que les individus des castes inférieures, etc. Jésus va bouleverser cette vision aristocratique du monde en affirmant que tous les êtres humains sont parfaitement égaux en dignité, car ils sont enfants du même Dieu qui les aime tous sans aucune distinction de race, de sexe, de religion et même de comportement moral.

Jésus ne se contente pas de l'affirmer, il en témoigne par ses gestes et ses rencontres : il fréquente les pécheurs, les lépreux, les collecteurs d'impôts vendus aux Romains, les prostituées, les femmes adultères, les hérétiques (Samaritains), les païens, etc., au grand dam de ceux qui se veulent les gardiens de l'orthodoxie sociale et religieuse.

Cette attention portée à tous, cette pensée égalitariste dépassent largement le cadre des clivages internes à la religion juive dont il est issu : c'est la société antique tout entière qu'elle révolutionne. Elle rejoint d'ailleurs, sous cet angle, les pensées bouddhiste et stoïcienne qui prônent également l'égalité entre tous les êtres humains. Les stoïciens considèrent en effet que ce qui distingue un être humain, ce n'est ni le sexe, ni l'appartenance ethnique, ni le rang social, mais la vertu qui relève de la volonté de chaque individu, lequel possède en soi une parcelle du *logos* divin. Jésus a-t-il été influencé par cette philosophie ? Difficile de le savoir. Il considère en tout cas, de manière assez similaire, que tous les êtres humains sont égaux en dignité, mais aussi frères parce que enfants du même Père.

L'apôtre Paul n'a pas connu Jésus. C'était un juif pharisien (comme Jésus lui-même) qui a commencé par persécuter les disciples du Christ, juste après la mort de celui-ci. Il s'est converti après avoir été foudroyé par la grâce et avoir entendu une voix lui dire : « Je suis Jésus que tu persécutes » (Actes 9, 5). Devenu le plus ardent témoin du Christ, il a compris la portée universelle de son message et s'est fait l'apôtre des non-juifs. Il a fortement souligné cette révolution égalitaire du message chrétien et l'universalité du salut qui en découle : « Il n'y a plus ni juif, ni païen, il n'y a plus ni esclave ni homme libre, il n'y a plus l'homme et la femme, car tous vous ne faites plus qu'un dans le Christ Jésus » (Galates 3, 28).

Le pape François se fait lui aussi un bel exégète de cet aspect du message de Jésus : « Au-delà de toute apparence, chaque être est infiniment sacré et mérite notre affection et notre dévouement. C'est pourquoi, si je réussis à aider une seule personne à vivre mieux, cela justifie déjà le don de ma vie. [...] Et nous atteignons la plénitude quand nous brisons les murs pour que notre cœur se remplisse de visages et de noms[17] ! »

Jésus opère deux autres inversions de valeurs tout aussi radicales. Les sociétés antiques considèrent la richesse comme un bienfait divin et la pauvreté comme une malédiction. Dès lors, les riches sont enviés et les pauvres, méprisés. De même, on recherche et valorise la puissance, la performance, la force, et on dédaigne la faiblesse, la fragilité, ce qui est petit. Dès son premier sermon sur la montagne, Jésus dit exactement l'inverse : « Heureux, vous les pauvres, le Royaume de Dieu est à vous ! Heureux, vous qui avez faim maintenant : vous serez rassasiés. Heureux, vous qui pleurez maintenant, vous rirez ! [...] Mais malheureux, vous les riches, vous avez votre consolation ! Malheureux, vous qui êtes repus maintenant : vous aurez faim ! » (Luc 6, 20-21.24-25).

Il entend ainsi montrer qu'aux yeux de Dieu richesse et puissance ne signifient rien, et que faiblesse et pauvreté ne sont pas des malédictions. Par ailleurs, si Jésus va encore plus loin en qualifiant les pauvres d'« heureux » et les riches de « malheureux », ce n'est évidemment pas pour valoriser la misère et dénoncer la prospérité en tant que telle, mais pour souligner qu'il y a danger spirituel, pour les riches, à oublier l'essentiel – l'amour, la justice, le partage –, alors que les pauvres sont le plus souvent davantage portés à vivre ces valeurs de solidarité – il est toujours loisible de le vérifier deux mille ans plus tard –, ce qui leur assure une plus grande faculté d'élévation spirituelle. Ce n'est là, toutefois, qu'une considération générale : il existe évidemment des riches qui sont justes et généreux, et des pauvres mesquins et injustes. Ce sont donc la cupidité, l'esprit d'accumulation, le refus du partage que Jésus dénonce avec force.

Il en va de même pour la puissance et la faiblesse : dans la mesure où ils sont arrogants, où ils méprisent les autres et se plaisent à les dominer, les puissants sont faibles du point de vue spirituel, à l'inverse des faibles et des gens de peu, souvent beaucoup plus humbles et donc puissants en esprit. Les premières paroles du *Magnificat*, le célèbre chant attribué à Marie lorsqu'elle apprend qu'elle va enfanter Jésus, le résume bien. Elle qui, selon les critères sociaux, est à la fois pauvre et faible, s'exclame : « Mon âme exalte le Seigneur, exulte mon esprit en Dieu, mon sauveur ! Il s'est penché sur son humble servante ; désormais, tous les âges me diront bienheureuse. [...] Déployant la force de son bras, il disperse les superbes. Il renverse les puissants de leurs trônes, il élève les humbles. Il comble de biens les affamés, renvoie les riches les mains vides [...] » (Luc 1, 46-48.51-53).

L'Évangile ne fait que souligner cette inversion des valeurs mondaines, puisque c'est toute la vie de Jésus qui est marquée par l'abaissement, l'humilité, le dénuement, depuis sa naissance dans une étable jusqu'à sa mort, nu, sur une croix. Alors qu'il a de riches et puissants disciples (Lazare, Nicodème), il choisit ses douze apôtres parmi les gens du peuple, pour la plupart de simples pêcheurs de Galilée, pauvres et analphabètes. Il devra toutefois les rappeler sans cesse à l'ordre, chacun d'entre eux cherchant à se vouloir le plus grand, le premier : « Vous le savez : ceux que l'on regarde comme chefs des nations païennes commandent en maîtres ; les grands font sentir leur pouvoir. Parmi vous, il ne doit pas en être ainsi. Celui qui veut devenir grand sera votre serviteur. Celui qui veut être le premier sera l'esclave de tous : car le Fils de l'homme n'est pas venu pour être servi, mais pour servir, et donner sa vie en rançon pour la multitude » (Marc 10, 42-45).

Juste avant de mourir, lors du dernier repas qu'il prend avec ses disciples, il leur montre encore l'exemple en leur lavant les pieds. Au royaume terrestre où règnent les hommes, les forts, les riches, les performants, Jésus oppose le royaume des cieux où il invite les enfants, les femmes, les malades, les pauvres, les humiliés, les étrangers et les exclus de toutes sortes (les prostituées, les lépreux, les fous, et même les collecteurs d'impôts – les fameux « publicains » –, personnages les plus détestés de son temps !).

Sitôt élu, François s'est rendu dans une prison pour mineurs afin d'y laver les pieds de douze détenus, hommes et femmes, pour rappeler que le pape, à la suite du Christ, doit servir les plus démunis, et non être servi. Malgré sa nouvelle charge, il a conservé l'habitude de faire lui-même une partie de son ménage et se sent visiblement mal à l'aise lorsque les gens s'agenouillent devant lui, conformément à l'usage, pour baiser l'anneau papal. Il déteste toutes les expressions consacrées attribuées au pape : « Sa Sainteté », « Très Saint-Père », « prince de l'Église », « souverain pontife ». Il devient dès lors difficile, pour ses interlocuteurs, de savoir comment s'adresser à lui ! Pour ce qui le concerne, il ne se place jamais dans une posture de supériorité et, deux mois après son élection, il rappelle aux évêques italiens, en des termes parfois très durs, l'importance de l'humilité dans la vie spirituelle, dénonçant « celui [l'évêque] qui se laisse séduire par la perspective d'une carrière, la

# 3

# Éloge
## de la « non-puissance »

Si le pape rappelle avec autant de force au clergé italien les vertus de la pauvreté et de l'humilité, c'est que l'Église a connu au fil de son histoire de nombreuses dérives par rapport au message de son fondateur. Avec la conversion de l'empereur romain Constantin au début du IVᵉ siècle, elle change en effet radicalement de visage. En 380, l'empereur Théodose fait même du christianisme la religion officielle de l'Empire romain. Les chrétiens détruisent les temples des autres religions et chassent leurs adeptes de toutes les fonctions administratives de quelque importance. Le pouvoir impérial impose la foi commune et traque les hérétiques. Ainsi, en l'espace de quelques siècles, les petites communautés évangéliques le plus souvent persécutées, puis les Églises, plus structurées et organisées sous l'autorité des évêques, mais encore modestes, deviennent des institutions riches et puissantes qui persécutent à leur tour les païens. L'Évangile continue d'être annoncé, mais le christianisme est devenu religion d'État au prix d'énormes compromis avec son message originel.

Aux V<sup>e</sup>-VI<sup>e</sup> siècles, l'Église accroît encore son pouvoir sur la société et se considère désormais comme unique dispensatrice du salut : « Hors de l'Église, point de salut. » Elle ne cesse également d'affirmer sa puissance dans une permanente collusion avec le pouvoir politique qui se manifeste notamment dans le sacre des rois et des empereurs. Saint Augustin légitime les notions de « guerre juste » contre les païens (*Contre Faustus*) et de persécution des hérétiques. En 417, il tente ainsi de convaincre le préfet militaire Boniface, qui a quelques scrupules à massacrer les adeptes de l'hérésie donatiste : « Il y a une persécution injuste, celle que font les impies à l'Église du Christ ; et il y a une persécution juste, celle que font les Églises du Christ aux impies. [...] L'Église persécute par amour, et les impies par cruauté. [...] L'Église persécute ses ennemis et les poursuit jusqu'à ce qu'elle les ait atteints et défaits dans leur orgueil et leur vanité, afin de les faire jouir du bienfait de la vérité[19]. » La logique qui conduira aux croisades et à l'Inquisition est ici en marche.

Au XIIIe siècle, devenu la grande religion de l'Occident, le catholicisme romain, au nom de la préservation de la société chrétienne, inventera un tribunal visant à réprimer les hérétiques jusqu'à la mise à mort, s'il le faut, « pour le salut de leur âme ». Même les plus grands théologiens de l'époque ne voient rien à objecter à cette entreprise pourtant en totale contradiction avec le message évangélique. Ainsi Thomas d'Aquin ne manque-t-il pas de justifier en ces termes l'Inquisition dans sa *Somme théologique* : « Les hérétiques méritent d'être retranchés du monde par la mort. Il est en effet beaucoup plus grave de corrompre la vie de l'âme que de falsifier la monnaie qui permet de subvenir aux besoins temporels[20]. »

On est parvenu là aux antipodes du message de Jésus qui prône d'une part la non-violence, d'autre part la séparation du spirituel et du temporel. Dans la culture juive et gréco-romaine au sein de laquelle vit Jésus, il est difficilement concevable de pardonner à ses ennemis ou de leur vouloir du bien. C'est pourtant ce qu'il enseigne à maintes reprises à ses disciples :

« Vous avez appris qu'il a été dit : "Œil pour œil, dent pour dent." Eh bien moi, je vous dis de ne pas riposter à celui qui vous veut du mal ; mais si quelqu'un te gifle sur la joue droite, tends-lui encore l'autre. Et si quelqu'un veut te faire un procès et prendre ta tunique, laisse-lui encore ton manteau [...]. Vous avez appris qu'il a été dit : "Tu aimeras ton prochain et tu haïras ton ennemi." Eh bien moi, je vous dis : Aimez vos ennemis, et priez pour ceux qui vous persécutent, afin d'être vraiment les fils de votre Père céleste, lui qui fait lever son soleil sur les méchants et sur les bons, et tomber la pluie sur les justes et sur les injustes » (Matthieu 5, 38-40.43-45).

Certes, Jésus fait parfois montre d'une grande violence verbale et parfois même physique – par exemple, lorsqu'il renverse les tables des marchands du Temple –, mais il n'use jamais de violence physique envers les personnes, et lorsqu'il voit les gardes des grands prêtres arriver pour l'arrêter et le livrer à Pilate, il ordonne à Pierre de rengainer son épée et se laisse prendre sans opposer de résistance. Sur la croix, alors qu'il est innocent et agonise dans de terribles souffrances sous les injures et les quolibets des badauds, il lance ce cri : « Père, pardonne-leur : ils ne savent pas ce qu'ils font » (Luc 23, 34).

Jésus entend ainsi rompre avec la violence mimétique dont le philosophe René Girard a montré qu'elle était au fondement des sociétés humaines : la violence de l'autre à mon égard éveille de la violence chez moi et un désir de vengeance. À l'inverse, Jésus révèle le pardon comme un acte intérieur qui permet au cœur de l'homme de ne pas se laisser happer par la spirale de la haine et de la violence.

En prônant la séparation du religieux et du politique, Jésus opère également une profonde rupture avec les mentalités religieuses traditionnelles qui lient, d'une manière ou d'une autre, le spirituel au temporel. C'est le cas de toutes les religions antiques, y compris du bouddhisme d'État de l'empereur indien Ashoka, et tel sera aussi le cas de l'islam. L'une des fonctions fondamentales du religieux est de créer du lien social en donnant une légitimité au politique : l'empereur de Chine est Fils du Ciel, le pharaon incarne le dieu, l'empereur romain est divinisé, le Dieu juif Yahvé est roi de son peuple, etc. Or Jésus défait explicitement ce lien entre sphère spirituelle et sphère temporelle, entre politique et religion : « Rendez à César ce qui est à César et à Dieu ce qui est à Dieu » (Marc 12, 17). Alors que ses disciples voient en lui le Messie venu restaurer la royauté d'Israël et libérer le peuple juif du joug romain, il se présente au contraire comme un Messie exclusivement spirituel venu annoncer un royaume céleste et non pas terrestre : « Mon royaume n'est pas de ce monde » (Jean 18, 36), affirme-t-il encore à Pilate qui l'interroge sur sa prétendue royauté.

Mais Jésus va encore plus loin en renversant l'image, universellement répandue, d'un Dieu se manifestant par Sa puissance. Ce qui caractérise le Dieu de Jésus, c'est au contraire la *non-puissance*. Non pas que Dieu soit impuissant ! Comme créateur de l'univers visible et invisible, Il est nécessairement tout-puissant. Mais Jésus révèle qu'Il est avant tout un Dieu d'amour qui refuse d'exercer Sa puissance en raison même de l'amour qu'Il porte à Sa créature.

Comme tous les peuples de l'Antiquité, les juifs croient en une divinité puissante et guerrière qui dirige et protège leur peuple. Cette croyance se trouve même ici exacerbée, puisqu'ils pensent que leur dieu, Yahvé, qui s'est révélé à Abraham et à Moïse, est le dieu unique. La bible hébraïque relate ainsi l'alliance entre Yahvé Sabbaot, « Dieu des armées », et le peuple qu'il s'est choisi. La grande question à laquelle est confronté le peuple juif à partir de l'exil, puis de l'occupation grecque et romaine, est de savoir pourquoi son Dieu tout-puissant ne le libère pas du joug de ses oppresseurs. C'est ainsi que se développe la croyance selon laquelle Dieu enverra un Messie (littéralement un « oint »), sorte de grand roi, pour libérer son peuple, et davantage encore pour instaurer un royaume universel dont Jérusalem sera l'épicentre.

Or Jésus, qui reconnaît qu'il est le Messie (Jean 4, 26), n'a rien du Messie attendu. Lorsqu'il commence à exercer sa mission messianique, les bons religieux ne cessent d'exprimer leur scepticisme : « Celui-là n'est-il pas le fils de Joseph le charpentier ? » (Matthieu 13, 55) ; « De Nazareth peut-il sortir quelque chose de bon ? » (Jean 1, 46) ; « Ses amis ne sont-ils pas des pécheurs et des publicains ? » (Luc 7, 34). De par sa naissance, Jésus ne correspond pas à ce qu'on attend du Messie. Par sa mort, il va renverser entièrement la figure messianique et, plus encore, la figure traditionnelle de Dieu. Que le Messie qui doit instaurer le règne universel de Dieu sur terre soit de basse extraction, voilà qui est assurément fort surprenant, mais peut encore passer. En revanche, qu'il finisse crucifié, renié de tous, visiblement abandonné par Dieu, voilà qui est absolument inconcevable. C'est pourquoi ses disciples sont scandalisés quand Jésus leur annonce par trois fois qu'il se rend à Jérusalem pour y mourir. Le Messie ne peut mourir de la main des hommes. Jésus va jusqu'à dire à Pierre qui refuse l'annonce de sa Passion : « Passe derrière moi, Satan, car tes pensées ne sont pas celles de Dieu, mais celles des hommes ! » (Marc 8, 33).

Déçus par son discours, jugé trop spirituel, et par son refus de se mêler des affaires politiques, de nombreux disciples l'abandonnent en cours de route. Un Messie guerrier aurait cherché à triompher par la force de ses ennemis pour imposer sur terre la Loi divine. Jésus a voulu être un Messie crucifié, « scandale pour les juifs et folie pour les païens », selon la formule de Paul (I Corinthiens 1, 23), qui manifeste par sa non-puissance que la plus grande Loi divine est celle de l'amour. Il prône ainsi une sagesse d'amour qui change du tout au tout le visage traditionnel d'un Dieu inspirant la crainte, et contredit l'instinct le plus universellement répandu : celui qui consiste à s'affirmer en dominant l'autre.

Ce que montre notamment l'Évangile, c'est que le Dieu de Jésus – tout comme Jésus lui-même – s'affirme en bridant sa toute-puissance, en s'abaissant, en se retirant, en laissant s'exercer la liberté humaine – quelles que soient les folies auxquelles elle peut conduire – et en manifestant sa préférence pour ce qui est faible, fragile, pauvre, délaissé, méprisé.

La pensée chrétienne qui, à partir des écrits pauliniens et johanniques, va développer, au cours des premiers siècles, la théologie trinitaire et celle de l'incarnation de Dieu en l'homme Jésus, rend évidemment encore plus saisissant cet abaissement divin. Comme l'écrit l'apôtre Paul : « [Jésus], de condition divine, ne retint pas jalousement le rang qui l'égalait à Dieu. Mais il s'anéantit lui-même, prenant condition d'esclave et devenant semblable aux hommes. S'étant comporté comme un homme, il s'humilia plus encore, obéissant jusqu'à la mort, et la mort sur une croix ! » (Philippiens 2, 6-8).

Obstiné à rappeler cette humilité radicale du Christ, le pape François ne cesse de condamner « la mondanité spirituelle, qui se cache derrière des apparences de religiosité et même d'amour de l'Église, [et qui] consiste à rechercher, au lieu de la gloire du Seigneur, la gloire humaine et le bien-être personnel[21] ».

# 4

## *Le grand nettoyage*

Le pape François ne se contente pas de condamner. Il sait qu'il a été élu par ses pairs pour réformer en profondeur certaines structures du Vatican. Le Vatican, le plus petit des États membres de l'ONU, est le support territorial du Saint-Siège, personne morale représentant le pape et le gouvernement de l'Église. Situé au cœur de Rome, il est l'ultime résidu des anciens États pontificaux, le pape ayant été jusqu'à l'époque moderne un souverain à la fois spirituel et temporel. Il demeure le souverain – élu par les cardinaux – de ce petit État, mais cette fonction est plus symbolique qu'autre chose, même si le Vatican a des ambassadeurs dans cent soixante-dix-sept pays du monde (nonces apostoliques). Le pape est surtout le chef spirituel de 1,2 milliard de catholiques. L'essentiel de sa fonction consiste à orienter et à diriger l'Église et les innombrables organismes religieux, caritatifs, éducatifs, qu'elle gère à travers le monde. Le pape est donc assisté d'une puissante administration située au Vatican, qu'on appelle la « Curie romaine ». La Curie est divisée en différents « dicastères » : la secrétairerie d'État (qui coordonne l'ensemble de la Curie et s'occupe directement de la diplomatie vaticane) ; neuf congrégations romaines à vocation religieuse (doctrine de la foi, clergé, éducation, culte et sacrements, etc.) ; trois tribunaux, dont le fameux tribunal de la rote, seul habilité à annuler les mariages ; douze conseils pontificaux (culture, laïcs, dialogue avec les autres religions, etc.) ; divers comités et commissions pontificales (science, études bibliques...) ainsi que de nombreux autres organismes administratifs et financiers, telle l'IOR, la fameuse banque du Vatican. Au total, le Vatican compte à peine neuf cents citoyens résidents, mais près de trois mille personnes y travaillent, dont un peu plus de quatre cents prélats qui ont des responsabilités importantes.

Au fil du temps, cette administration s'est alourdie et est devenue de plus en plus opaque, parfois même corrompue. C'est la raison pour laquelle, malgré son désir de rencontrer les fidèles aux quatre coins de la planète, François a décidé d'effectuer très peu de voyages pendant les premières années de son pontificat afin de se consacrer en priorité à la réforme et à l'assainissement moral de la Curie romaine.

On se souvient de Jean-Paul II, qui, accablé par les problèmes internes, avait finalement renoncé à entreprendre de grandes réformes et avait fui autant qu'il avait pu le Vatican. Dès le lendemain de son élection, Benoît XVI avait promis à son tour de s'y atteler, mais il fut vite essoufflé par l'ampleur de la tâche et manqua de discernement en nommant un secrétaire d'État, Tarcisio Bertone, dont l'affaire du Vatileaks a révélé qu'il enterrait les dossiers brûlants et poursuivait une politique d'opacité, notamment en matière financière. C'est la raison pour laquelle François, le 15 octobre 2013, a remplacé le cardinal Bertone par un « jeune » évêque italien de cinquante-huit ans, Pietro Parolin, fin diplomate à la réputation de grande intégrité. Ce dernier a été fait cardinal le 22 février 2014 en compagnie de dix-huit autres pasteurs de l'Église, dont une majorité issus de l'hémisphère Sud.

Autre mesure de grande importance et totalement inédite : afin de l'épauler dans ses réformes, François, seulement quelques semaines après son élection, a mis en place un conseil permanent de huit cardinaux provenant des cinq continents. Dirigé par le cardinal hondurien Óscar Maradiaga, de sensibilité réformatrice, ce conseil s'est déjà réuni pendant plusieurs jours autour du pape, début octobre 2013, afin de lancer les grands axes de la réforme du Vatican.

Ces deux premières mesures donnent une indication précise et concrète sur la manière dont François envisage de réformer l'Église : plutôt que de s'appuyer sur un secrétaire d'État qui aurait vite été broyé par la Curie, il confie à celui-ci la fonction diplomatique et les relations extérieures, tandis qu'il s'attaque directement, entouré de huit autres cardinaux tous connus pour leur courage et leur volonté de changement, aux grands chantiers de la réforme interne, pour ne pas dire « au grand nettoyage » : celui de « cette putréfaction sous le vernis » qu'incarnent les « prêtres corrompus qui font semblant d'être chrétiens », comme il l'exprime avec un incroyable franc-parler dans ses homélies.

Le plus urgent de ces « nettoyages » est sans doute celui de la fameuse banque du Vatican. Fondée en 1942 par le pape Pie XII, l'Institut pour les œuvres de religion (IOR) est une banque privée devenue la principale institution financière de l'État du Vatican. Elle gère actuellement 6,3 milliards d'euros d'actifs. Elle a (officiellement) pour mission de recueillir les dons des fidèles destinés à des œuvres caritatives, et seuls (théoriquement) des prélats et des laïcs vivant ou travaillant au Vatican peuvent y ouvrir un compte. Dans les faits, son fonctionnement est on ne peut plus opaque et elle a connu des scandales à répétition depuis le début des années 1980.

Ses connexions avec la Mafia apparaissent au grand jour en 1982 lors de la faillite de la banque Ambrosiano. Celle-ci « blanchissait » l'argent de la Mafia du sud de la péninsule et l'IOR en était l'un des principaux actionnaires. Son directeur, Mgr Paul Marcinkus, est alors inculpé par la justice italienne, mais échappe à toute poursuite du fait de son immunité diplomatique. Le scandale rebondit la même année avec l'incroyable épidémie de « suicides » frappant la plupart des anciens dirigeants de la banque Ambrosiano, parmi lesquels son ancien président, Roberto Calvi, retrouvé pendu sous un pont à Londres, ainsi que son ancienne secrétaire, qui se « suicide » dans la foulée.

De nombreux livres et articles ont également été publiés sur la mort non élucidée du pape Jean-Paul Ier. Décédé dans la nuit du 28 septembre 1978 après avoir bu une tisane et retrouvé mort au petit matin sans aucune explication (le Vatican refusa que son corps fût autopsié), seulement trente-trois jours après son élection, Jean-Paul Ier venait de réclamer un audit de l'IOR.

Jean-Paul II n'a pas souhaité s'attaquer à ce dossier explosif et a même curieusement confirmé à la tête de l'IOR Mgr Marcinkus (ce prélat américain controversé aura dirigé la banque de 1971 à 1989, date à laquelle il aura été exfiltré aux États-Unis pour échapper à la justice italienne). On a ainsi avancé la thèse selon laquelle l'IOR aurait fortement soutenu, à l'époque, le syndicat polonais Solidarność, proche du nouveau pape.

Au fil des ans, les scandales continuent de se succéder et l'IOR est régulièrement accusé par les magistrats italiens et par le département d'État américain de continuer à « blanchir » l'argent sale de la Mafia. En 2010, la justice italienne ouvre ainsi une enquête sur les agissements du président de l'IOR, Ettore Gotti Tedeschi, contraint par Benoît XVI à se démettre de ses fonctions en mai 2012, alors que Washington a mis la même année le Vatican sur la liste des États liés au trafic de stupéfiants (en l'occurrence via le blanchiment de l'argent de la drogue). Depuis janvier 2013, la justice italienne a également demandé à la Deutsche Bank, qui gère les versements en espèces pour le compte du Vatican, de désactiver tous ses terminaux, le Saint-Siège n'ayant pas satisfait aux standards requis contre le blanchiment d'argent.

Autre scandale récent : l'arrestation le 28 juin 2013 par la police italienne d'un prélat italien, Mgr Nunzio Scarano, chef de la comptabilité de l'APSA, institution qui administre le patrimoine du Vatican. Celui-ci tentait de rapatrier vingt millions d'euros en espèces de la Suisse vers l'État pontifical. En perquisitionnant son domicile, la police a découvert six toiles de Van Gogh, un Caravage, un Chagall et quantité d'autres œuvres d'art d'une valeur inestimable. Incarcéré depuis lors, Mgr Nunzio Scarano a fait l'objet en janvier 2014 de nouvelles poursuites pour « blanchiment » d'argent de particuliers.

Si ce prélat corrompu a pu être arrêté et poursuivi par la justice italienne, c'est que le pape François a dorénavant refusé toute immunité aux prélats ou laïcs soupçonnés de malversations. Il a également demandé que les instances judiciaires internationales soient autorisées à enquêter au Vatican pour que tous les organismes financiers du Saint-Siège puissent enfin satisfaire aux normes internationales de lutte contre le blanchiment d'argent, que le pape qualifie de « crottin du diable ».

Après avoir ordonné une enquête interne sur la banque vaticane, quelques jours après son élection, et avoir ensuite accepté la démission de ses dirigeants, à la suite de l'affaire Scarano, il a enfin placé l'IOR sous la tutelle de cinq cardinaux, le 15 janvier 2014. Benoît XVI avait déjà accompli un tel geste juste avant de renoncer à sa fonction, mais François a changé quatre des cinq cardinaux nommés à cette fin par son prédécesseur, ne maintenant en place que le cardinal français Jean-Louis Tauran. Il a toutefois maintenu à la présidence de l'institution le banquier allemand Ernst von Freyberg (également nommé par Benoît XVI), lequel a fait appel à des cabinets d'audits extérieurs de renommée mondiale – Promontory, Ernst & Young ou KPMG – pour éplucher les 18 900 comptes de l'IOR. La démarche a valu au Vatican une brève polémique lancée par Sandro Magister dans *L'Espresso*, reprochant à l'« Église des pauvres » du pape François de recruter à grands frais les services de firmes multinationales.

Le processus de transparence est en tout cas lancé non seulement à l'IOR, mais aussi au sein des divers organismes financiers du Saint-Siège. Il n'est toutefois pas certain que l'existence de tel ou tel organisme comme l'IOR, soit maintenue si leur situation se révèle plus dramatique encore que prévu. « Après tout, saint Pierre n'avait pas de compte en banque ! » a rappelé avec ironie le pape François.

Restent deux autres menaces pesant sur le pape et les réformateurs : le fameux « lobby gay » et la Mafia italienne.

Peu de temps après la renonciation de Benoît XVI, le journal italien *La Repubblica* avait révélé que cette décision était liée à l'existence d'un lobby d'ecclésiastiques homosexuels vivant au Vatican, « tenus » par un chantage exercé par la Mafia. Sitôt élu, François a confirmé l'existence d'un tel lobby et a diligenté une enquête interne. En janvier 2014, Elmar Mäder, l'ancien commandant des gardes suisses, a également confirmé l'existence d'un réseau d'ecclésiastiques homosexuels au Vatican, dont « certains finissent par constituer une véritable société secrète capable de mettre à mal la sécurité du pape[22] ».

En novembre 2013, le juge antimafia calabrais Nicola Gratteri, qui vit sous escorte policière depuis 1989, a publié un livre dans lequel il explique que « le grand nettoyage entrepris par le pape préoccupe sérieusement la Mafia. Si les parrains en ont le pouvoir, ils tenteront de l'empêcher de mener à bien son grand nettoyage. Le souverain pontife est en danger[23] ». De son côté, le vaticaniste Filippo Di Giacomo rappelle que ces dernières années, une quinzaine de prêtres qui s'opposaient aux activités mafieuses ont trouvé la mort dans des circonstances étranges. Manière de dire que si le pape venait à chuter du haut de son balcon, il y a bien peu de chances qu'on puisse alléguer un « malencontreux accident ».

On comprend mieux pourquoi François a eu l'intelligence – et la prudence – d'associer de nombreux cardinaux à son projet d' « assainissement » de la Curie romaine...

# Troisième partie

# « Qui suis-je pour juger[24] ? »

# 1

## L'Évangile
## n'est pas une morale

Aux journalistes qui l'interrogeaient dans l'avion, lors de son retour du Brésil, à propos des personnes homosexuelles, le pape a répondu : « Qui suis-je pour les juger ? » Cette petite phrase a fait le tour du monde et a valu à François d'être élu « personnalité de l'année » par le magazine américain pro-gay *The Advocate*. Contrairement à ce que beaucoup ont pensé, cela ne signifie pas que le pape soit favorable aux pratiques homosexuelles : l'Église continue officiellement à les réprouver comme contraires à la loi naturelle selon laquelle la sexualité n'est licite qu'entre un homme et une femme et en intégrant le projet de procréation (ce qui n'est pas sans poser d'importantes questions !). Mais cela signifie, pour le pape, qu'on ne doit pas juger et condamner les personnes.

On pourrait appliquer cette distinction à d'autres pratiques largement répandues dans la société et que l'Église condamne encore plus fermement, comme l'avortement ou l'adultère. On peut condamner l'acte en soi, mais nul ne peut se faire juge de la personne qui avorte ou commet l'adultère. C'est exactement ce que montre l'Évangile, notamment à travers ce passage où Jésus est confronté à une femme prise en flagrant délit d'adultère. Jésus a clairement condamné l'acte en soi, mais il refuse de condamner cette femme :

« Alors les scribes et les pharisiens amenèrent une femme surprise en adultère ; et, la plaçant au milieu du peuple, ils dirent à Jésus : "Maître, cette femme a été surprise en flagrant délit d'adultère. Moïse, dans la Loi, nous a ordonné de lapider de telles femmes : toi donc, que dis-tu ?" Ils disaient cela pour l'éprouver, afin de pouvoir l'accuser. Mais Jésus, s'étant baissé, écrivait avec le doigt sur la terre. Comme ils continuaient à l'interroger, il se releva et leur dit : "Que celui de vous qui est sans péché lui jette la première pierre." Et, s'étant de nouveau baissé, il écrivait sur la terre. Quand ils entendirent cela, accusés par leur conscience, ils se retirèrent un à un, depuis les plus âgés jusqu'aux derniers ; et Jésus resta seul avec la femme qui était là au milieu. Alors, s'étant relevé, et ne voyant plus que la femme, Jésus lui dit : "Femme, où sont ceux qui t'accusaient ? Personne ne t'a-t-il condamnée ?" Elle répondit : "Non, Seigneur." Et Jésus lui dit : "Je ne te condamne pas non plus : va, et ne pèche plus" » (Jean 8, 3-11).

L'argument avancé par Jésus pour dissuader les zélateurs de La loi d'appliquer la peine prévue est imparable : « Que celui qui est sans péché lui jette la première pierre. » En poussant ce raisonnement jusqu'au bout, on pourrait dire que Dieu seul est sans péché, et donc que Lui seul serait habilité à condamner les pécheurs et à faire appliquer les peines prévues par la Loi divine. La bonne nouvelle de l'Évangile, c'est justement que Dieu ne condamne pas, que la miséricorde et le pardon sont plus importants que la Loi. C'est pourquoi Jésus dit à la femme : « Je ne te condamne pas non plus », avant d'ajouter : « Va, et ne pèche plus. »

C'est justement parce qu'elle aura été sauvée, aimée, pardonnée et non pas condamnée, que la femme sera encouragée à ne plus pécher. C'est l'amour qui rend vertueux, et non la vertu qui rend plus aimant, même si l'amour appelle la vertu.

Voilà qui me fait penser à cette phrase merveilleuse de Spinoza : « La Béatitude n'est pas le prix de la vertu, mais la vertu elle-même ; et cet épanouissement n'est pas obtenu par la réduction de nos appétits sensuels, mais c'est au contraire cet épanouissement qui rend possible la réduction de nos appétits sensuels[25]. » Et le philosophe de préciser : « Plus l'âme s'épanouit en cet amour divin ou cette Béatitude, plus elle est connaissante, c'est-à-dire plus grand est son pouvoir sur les affections et moins elle pâtit des affections qui sont mauvaises ; par suite, donc, de ce que l'âme s'épanouit en Amour divin ou Béatitude, elle a le pouvoir de réduire les appétits sensuels[26]. »

C'est parce qu'il a rencontré le bonheur et l'amour que l'être humain peut véritablement devenir vertueux et grandir en humanité. C'est la joie qui mène au renoncement, et non l'inverse. L'Évangile ne dit pas autre chose. Et c'est là l'exact opposé du moralisme – laïc ou religieux – qui promet le bonheur à l'homme (ici-bas ou dans l'Au-delà) à titre de récompense pour une conduite vertueuse. L'Évangile ne rend pas d'emblée plus religieux, avant tout il humanise. Ce n'est pas un traité de morale, mais un guide de vie qui conduit à la joie : « Je vous dis cela pour que ma joie soit en vous et que votre joie soit complète » (Jean 15, 11).

Voilà ce que ne cesse de rappeler le pape François dans la plupart de ses interventions et c'est le thème central de sa première exhortation apostolique, « La joie de l'Évangile » : « L'Évangile invite avant tout à répondre au Dieu qui nous aime et qui nous sauve, le reconnaissant dans les autres et sortant de nous-mêmes pour chercher le bien de tous, écrit le pape. Cette invitation n'est obscurcie en aucune circonstance ! Toutes les vertus sont au service de cette réponse d'amour. Si cette invitation ne resplendit pas avec force et attrait, l'édifice moral de l'Église court le risque de devenir un château de cartes, et là se trouve notre pire danger. Car alors ce ne sera pas vraiment l'Évangile qu'on annonce, mais quelques accents doctrinaux ou moraux qui procèdent d'options idéologiques déterminées. Le message courra le risque de perdre sa fraîcheur et de ne plus avoir "le parfum de l'Évangile"[27]. »

Le pape fait ici allusion à une dérive de la religion chrétienne trop centrée sur la norme morale. Au sein du catholicisme, cette tendance moralisatrice a pris corps avec le mouvement de la Contre-Réforme au XVIe siècle. Face à la violente critique de Luther fustigeant les mœurs dissolues du clergé, l'Église a opéré un retour moral salutaire, mais devenu obsessionnel au fil des siècles suivants. Au XVIIe, le courant janséniste, à l'instar du courant puritain protestant, est obsédé par la pureté morale et marque les esprits en profondeur. Au XIXe siècle encore, la prédication catholique est presque exclusivement tournée vers la « haine du péché » et la peur de l'enfer. L'éducation catholique reçue par nos parents ou nos grands-parents était encore bien souvent focalisée sur la perfection morale et la peur maladive du péché, notamment celui de chair, développant chez beaucoup un sentiment morbide de culpabilité.

Comme aucun pape avant lui, François souligne le caractère négatif de cette moralisation de la foi, en particulier de cette focalisation sur les questions sexuelles : « On préfère parler de la morale sexuelle, de tout ce qui est lié au sexe. Savoir si on peut faire ceci ou ne pas faire cela. Savoir si on est coupable ou pas. Ce faisant, nous reléguons le trésor de Jésus-Christ vivant, le trésor de l'Esprit-Saint dans nos cœurs, le trésor d'un projet de vie chrétienne qui a bien d'autres implications au-delà des questions sexuelles. Nous laissons de côté une catéchèse richissime, avec les mystères de la foi, le credo, et nous finissons par nous concerter pour savoir s'il faut organiser ou pas une marche contre un projet de loi autorisant l'utilisation du préservatif[28]. » Le pape insiste, à l'inverse, sur la nécessité, pour les pasteurs de l'Église – les évêques, les prêtres, les missionnaires –, de se concentrer, dans leur prédication, sur « l'essentiel, sur ce qui est plus beau, plus grand, plus attirant et en même temps plus nécessaire[29] ».

## 2

# *Regarder chaque personne*

Ce qui me frappe le plus chez le pape François, c'est l'attention et l'authenticité du regard qu'il porte à chacun de ses interlocuteurs. Il s'intéresse vraiment aux gens, quels qu'ils soient, et tente, autant qu'il le peut, d'entretenir une relation personnelle avec la plupart de ceux qui ont un jour croisé son chemin.

Nous avons vu qu'il continuait d'écrire à des prisonniers rencontrés bien des années auparavant. Il possède en effet un petit carnet d'adresses dans lequel il a noté les numéros de ses amis et de centaines de personnes qu'il a aidées à un moment ou à un autre. Il continue à les appeler pour prendre des nouvelles ou fêter un anniversaire. Il lui arrive de s'interrompre, lors d'une cérémonie officielle, pour regarder un enfant dissipé et entrer en lien avec lui.

Evangelina Himitian rapporte que lorsqu'il était archevêque de Buenos Aires il avait accepté de célébrer une messe pour les familles des victimes de la violence. Au début de l'office, Isabel, dont la fille de vingt-quatre ans a été assassinée, s'effondre en larmes. Le cardinal interrompt la messe et vient s'asseoir à côté d'elle. Il la serre dans ses bras et la console pendant de longues minutes avant de reprendre la cérémonie.

Comme je l'ai déjà noté, il ne peut s'empêcher de toucher, d'embrasser, d'étreindre tous ceux qu'il rencontre, et cela d'autant plus qu'il les voit en souffrance. Le 24 juillet 2013, mis en présence de toxicomanes à l'hôpital São Francisco de Assis, à Rio, il étreint longuement chacun, et, lorsqu'on l'interroge sur la chaleur de ses gestes, il s'exclame : « Embrasser, embrasser ! Nous avons tous besoin d'apprendre à embrasser celui qui est dans le besoin, suivant l'exemple de saint François ! » (lequel donna notamment un baiser à un lépreux, à la stupéfaction de ses proches).

De cette attention accordée à chaque personne, François tire une autre conséquence : il ne saurait y avoir qu'un discours général, mais celui-ci doit aussi s'adapter à chacun. Un pasteur doit savoir prendre la personne là où elle en est, sur son chemin, et l'accompagner en essayant de la faire grandir, au lieu de l'écraser en la rappelant à la norme idéale, à une vérité absolue.

Le pape va très loin dans cette direction et n'hésite pas à déclarer dans *La Repubblica* : « Je ne parlerais pas, même pas pour un croyant, de vérité "absolue", en ce sens qu'est absolu ce qui est détaché, ce qui est privé de toute relation. Or la vérité, selon la foi chrétienne, est l'amour de Dieu pour nous en Jésus-Christ. Donc, la vérité est une relation ! À tel point que même chacun de nous la saisit, la vérité, et l'exprime à partir de lui-même : de son histoire et de sa culture, du contexte dans lequel il vit, etc. Cela ne signifie pas que la vérité soit variable et subjective, bien au contraire. Mais cela signifie qu'elle se donne à nous, toujours et uniquement, comme un chemin et une vie[30]. »

Une fois encore, François s'inspire ici directement de l'Évangile. L'itinéraire de Jésus est jalonné de rencontres personnelles à l'occasion desquelles on nous dit que Jésus « fixe », « regarde », « touche » ses interlocuteurs. Il ne s'adresse pas de la même manière à des érudits sceptiques, comme Nathanaël ou Nicodème, qu'à une Samaritaine adultère, à un fonctionnaire royal dont le fils est mourant, à un aveugle analphabète, à une femme païenne dont la fille est possédée, ou à un centurion romain dont l'esclave est malade.

Il s'exprime aussi de tout autre manière lorsqu'il s'adresse à la foule ou bien à ses disciples réunis dans l'intimité. Il s'adapte à chacun et à chaque situation pour délivrer une parole qui aide à vivre.

L'Évangile fourmille d'exemples qui montrent comment Jésus redresse, sauve, élève sans jamais juger, sans infliger la moindre leçon de morale, sans tenter de convertir ses interlocuteurs. Il les aide et les fait grandir, donc les humanise, par le regard d'amour qu'il leur porte et la qualité de la relation qu'il établit avec eux.

Retenons un exemple concret, celui de la rencontre entre Jésus et Zachée, collecteur d'impôts corrompu :

« Jésus, étant entré dans Jéricho, traversait la ville. Et voici, un homme riche, appelé Zachée, chef des publicains, il cherchait à voir qui était Jésus, mais ne pouvait y parvenir, à cause de la foule, car il était de petite taille. Il courut en avant et monta sur un sycomore pour le voir, parce qu'il devait passer par là. Lorsque Jésus fut arrivé à cet endroit, il leva les yeux et lui dit : "Zachée, hâte-toi de descendre ; car il faut que je demeure aujourd'hui dans ta maison." Zachée se hâta de descendre et le reçut avec joie. Voyant cela, tous murmuraient et disaient : "Il est allé loger chez un homme pécheur." Mais Zachée, se tenant devant le Seigneur, lui dit : "Voici, Seigneur, je donne aux pauvres la moitié de mes biens, et, si j'ai fait tort de quelque chose à quelqu'un, je lui rends le quadruple." Jésus lui dit : "Le salut est entré aujourd'hui dans cette maison, parce que celui-ci est aussi un fils d'Abraham. Car le Fils de l'homme est venu chercher et sauver ce qui était perdu" » (Luc 19, 1-10).

Zachée est un chef des publicains, c'est-à-dire un collecteur d'impôts qui travaille pour les Romains. Il a donc édifié sa richesse en collaborant avec l'envahisseur et on comprend qu'il n'a pas, de surcroît, dû se montrer très équitable dans son travail (« si j'ai fait tort de quelque chose à quelqu'un »). Bref, c'est un collabo doublé d'un agent du fisc véreux, détesté de tous. L'apercevant, Jésus aurait pu l'interpeller et lui dispenser publiquement une leçon de morale : « C'est mal, Zachée, de coopérer avec l'ennemi de notre peuple, et, par-dessus le marché, tu es malhonnête ! Honte à toi ! Reprends-toi, si tu veux être sauvé ! » C'est certainement le discours qu'attendait la foule présente. Non seulement Jésus ne porte aucun jugement sur cet homme corrompu, mais il s'invite chez lui ! Zachée est sidéré par cette demande : il était à coup sûr le dernier à s'attendre à ce que Jésus lui adresse la parole, lui, un pécheur méprisé de tous. Or Jésus ne regarde pas le pécheur, le collabo, l'homme corrompu, mais l'homme tout court : et il souhaite le rencontrer dans son intimité. Zachée en est bouleversé de joie et son cœur est si touché qu'il décide d'emblée de réparer ses torts et de faire don de la moitié de ses biens aux pauvres. Jamais une telle métamorphose n'aurait été obtenue par quelque remontrance que ce soit, si légitime fût-elle.

Comme bien d'autres, cet épisode nous montre que l'Évangile n'est ni une morale ni un catéchisme, mais une rencontre avec le Christ qui touche le cœur et met dans la joie. C'est parce que ses interlocuteurs se sentent aimés, reconnus, sont touchés au plus intime d'eux-mêmes, qu'ils modifient leur comportement. C'est parce qu'ils se sentent pardonnés qu'ils recouvrent l'estime d'eux-mêmes. C'est parce que Jésus leur a révélé une part lumineuse d'eux-mêmes qu'ils ignoraient, c'est parce qu'il leur montre qu'ils sont dignes d'être aimés, qu'ils ont envie de devenir meilleurs et changent de conduite. Baruch Spinoza dit de même que l'être humain ne peut changer par la seule force de la raison et de la volonté. Le seul moteur capable de le mouvoir en profondeur est le désir, car l'homme est essentiellement être de désir. Jésus ne raisonne pas ses interlocuteurs ni ne fait appel à leur volonté en clamant : « Il faut », « Tu dois » ! Il fait surgir de nouveaux désirs dans le cœur de ceux qu'il croise et dont la vie est déréglée, immorale, vide de sens. C'est ainsi qu'il « sauve ce qui était perdu », qu'il transforme la tristesse en joie, l'angoisse en confiance, la mort en vie. Jésus est un alchimiste du désir qui opère par l'amour.

## 3

## *Seul l'amour est digne de foi*

Comme le rappelle le pape François dans son exhortation apostolique, l'Évangile ne cesse de montrer que Jésus, par le regard d'amour qu'il porte à ceux qu'il rencontre, relève, réconforte, bouleverse, retourne le cœur, remet sur la route, redonne vie. À la différence des autres mono-théismes, la foi chrétienne n'est d'ailleurs pas fondée sur un texte, mais sur une personne. Et, comme le souligne encore le pape, être chrétien, ce n'est pas d'abord observer les commande-ments de l'Église, mais être relié à Jésus – et, à travers lui, à Dieu – dans une relation aimante. C'est ce lien au Christ et à Dieu qui fonde à son tour une éthique de l'amour. Je dirais ainsi que l'Évangile n'est pas tant une religion met-tant avant tout l'accent sur le dogme, les normes morales et les rituels, qu'une éthique fondée sur une mystique de l'amour (la relation vivante à Dieu et au Christ).

Au demeurant, Jésus n'a pas fondé une nouvelle religion. Il est né juif, il est mort juif. Tout au long de sa vie, même s'il a parfois transgressé la Loi de Moïse, il s'est montré un juif pieux et pratiquant. Il affirme on ne peut plus clairement : « Je ne suis pas venu abolir, mais accomplir » (Matthieu 5, 17). Dans la continuité des autres prophètes juifs qui l'ont précédé, il entend donc rappeler à ses interlocuteurs l'esprit de la Loi divine qu'ils prennent trop souvent à la lettre alors qu'elle est là pour éduquer, faire grandir l'individu, non pour le condamner ou l'écraser. C'est ainsi qu'il prend des libertés avec la Loi mosaïque qu'il connaît pourtant fort bien : il opère des guérisons le jour du Shabbat, il sauve une femme adultère de la lapidation, il n'oblige pas ses disciples à faire les ablutions rituelles avant les repas, il fréquente des gens « impurs » (prostituées, lépreux) et se laisse même toucher par eux. Comme le dit encore joliment le philosophe Spinoza dix-sept siècles plus tard : « Il [Jésus] les libéra de la servitude de la Loi et néanmoins la confirma et l'écrivit à jamais au fond des cœurs[31]. » La Loi trouve sa réalisation dans l'amour ; et la Loi sans l'amour ouvre la porte à tous les fanatismes religieux.

La Bible hébraïque exhorte à l'amour de Dieu et du prochain (Lévitique 19, 18), point fondamental sur lequel insistent plusieurs sages du Talmud, tel rabbi Aquiba, le qualifiant de « plus grand précepte de la Loi ». Et elle présente la miséricorde divine – ainsi que le fera ensuite le Coran – comme le plus important des attributs divins. Jésus annonce à son tour la miséricorde divine et l'incarne : il ne s'interroge pas sur l'identité sociale ou sur la rectitude morale de celui ou celle qui est en face de lui. Au contraire, il prône un accueil sans conditions préalables de ceux qui viennent à lui. C'est ce qu'il recommande aussi à ses disciples : « Aimez-vous les uns les autres, comme je vous ai aimés » (Jean 15, 12).

Jésus illustre ce commandement de l'amour du prochain par une série d'exemples concrets : « Donne à quiconque te demande et ne réclame pas ton bien à celui qui s'en empare » (Luc 6, 30). « Montrez-vous compatissants comme votre Père est compatissant ; ne jugez pas et vous ne serez pas jugés ; ne condamnez pas et vous ne serez pas condamnés ; remettez et il vous sera remis ; donnez et l'on vous donnera » (Luc 6, 36-38). Et il fait de ce commandement de l'amour le signe distinctif de la communauté de ses disciples : « Ce qui montrera à tous les hommes que vous êtes mes disciples, c'est l'amour que vous aurez les uns pour les autres » (Jean 13, 35).

On touche là à une autre grande révolution religieuse opérée par le Christ : la sortie de la pensée sacrificielle. La logique religieuse la plus archaïque de l'humanité est contenue dans cette logique du don mutuel : je donne quelque chose qui m'est précieux aux forces supérieures et, en échange, celles-ci m'apportent subsistance et protection. Abraham reçoit de Dieu l'ordre de lui sacrifier son fils Isaac, mais, au tout dernier moment, un ange lui intime l'ordre de renoncer à ce sacrifice et lui fournit un bouc en remplacement d'Isaac. On peut lire dans cet épisode une critique des sacrifices humains tels qu'ils étaient encore pratiqués en ce temps-là. La Bible enjoint d'y renoncer sans pour autant bannir les sacrifices sanglants d'animaux, puisque ceux-ci perdureront jusqu'à la destruction du Temple de Jérusalem, en 70 de notre ère, et seront ensuite repris dans la tradition musulmane.

C'est avant même la destruction du Temple que Jésus a rendu caduque la logique sacrificielle du donnant, donnant. L'homme n'a plus besoin d'assurer son salut par des rituels et des offrandes à Dieu : il est sauvé parce que Dieu l'aime dans une totale gratuité d'amour. Non seulement l'observance de la Loi ne sert à rien sans l'amour, mais la foi en Dieu ou dans le Christ est tout aussi vaine si elle ne s'incarne pas dans l'amour du prochain, ainsi que l'exprimera si bien l'apôtre Paul :

« Quand je parlerais les langues des hommes et des anges, si je n'ai pas l'amour, je ne suis plus qu'airain qui sonne ou cymbale qui retentit. Quand j'aurais le don de prophétie et que je connaîtrais tous les mystères et toute la science, quand j'aurais la plénitude de la foi, une foi à transporter les montagnes, si je n'ai pas l'amour, je ne suis rien. Quand je distribuerais tous mes biens aux pauvres, quand je livrerais mon corps aux flammes, si je n'ai pas l'amour, cela ne me sert à rien » (I Corinthiens 13, 1-3).

L'Évangile crée ainsi un véritable bouleversement, puisqu'il enlève à l'homme religieux ce à quoi ce dernier tient sans doute le plus : la maîtrise de son salut. Jésus affirme que tout être humain est sauvé parce que Dieu l'aime et parce qu'il tente d'aimer son prochain... et non parce qu'il accomplit son devoir, récite ses prières, veille à se mettre en règle.

Nous faisons tous le constat, en regardant les fidèles de toutes religions, que la connaissance des Écritures saintes, la référence à Dieu, les pratiques rituelles ou sacramentelles peuvent sans nul doute aider le croyant, mais qu'elles ne constituent jamais la garantie d'une conduite bonne et vraie. Le Grand Inquisiteur était un fervent croyant, et les fanatiques religieux qui tuent encore de nos jours prétendent adorer Dieu. À l'inverse, l'absence de conviction religieuse n'empêchera jamais un homme d'être vrai, juste et bon. Le message du Christ valide cette observation universelle en lui conférant un fondement théologique : en ultime analyse, adorer Dieu, c'est aimer son prochain. Le salut est offert à tout homme de bonne volonté qui agit en vérité selon sa conscience. Dans la célèbre parabole du Jugement dernier que François cite dans son Exhortation, le Christ le dit explicitement :

« Lorsque le Fils de l'homme viendra dans sa gloire, avec tous les anges, il s'assiéra sur le trône de sa gloire. Toutes les nations seront assemblées devant lui. Il séparera les uns d'avec les autres, comme le berger sépare les brebis d'avec les boucs ; et il mettra les brebis à sa droite, et les boucs à sa gauche. Alors le roi dira à ceux qui seront à sa droite : "Venez, vous qui êtes bénis de mon Père ; prenez possession du royaume qui vous a été préparé dès la fondation du monde. Car j'ai eu faim, et vous m'avez donné à manger ; j'ai eu soif, et vous m'avez donné à boire ; j'étais étranger, et vous m'avez recueilli ; j'étais nu, et vous m'avez vêtu ; j'étais malade, et vous m'avez visité ; j'étais en prison, et vous êtes venus vers moi." Les justes lui répondront : "Seigneur, quand t'avons-nous vu avoir faim, et t'avons-nous donné à manger ; ou avoir soif, et t'avons-nous donné à boire ? Quand t'avons-nous vu étranger, et t'avons-nous recueilli ; ou nu, et t'avons-nous vêtu ? Quand t'avons-nous vu malade, ou en prison, et sommes-nous allés vers toi ?" Et le roi leur répondra : "Je vous le dis en vérité, toutes les fois que vous avez fait ces choses à l'un de ces plus petits de mes frères, c'est à moi que vous les avez faites" » (Matthieu 25, 31-40).

Et l'apôtre Jean est tout aussi explicite dans sa première lettre : « Aimons-nous les uns les autres, puisque l'amour vient de Dieu. Tous ceux qui aiment sont enfants de Dieu, et ils connaissent Dieu. Celui qui n'aime pas ne connaît pas Dieu, car Dieu est amour » (I Jean 4, 7-8).

Tout compte fait, « seul l'amour est digne de foi », selon la belle expression du grand théologien Urs von Balthasar.

# 4

# L'Église : un hôpital de campagne après une bataille

Dans ses premiers textes et entretiens, le pape François revient sans relâche sur la nécessité, pour les pasteurs de l'Église, d'apporter ce message évangélique et de le vivre au lieu de dispenser des leçons de morale et d'insister sur les obligations religieuses : « L'annonce de l'amour salvateur de Dieu est premier par rapport à l'obligation morale et religieuse. Aujourd'hui il semble parfois que prévaut l'ordre inverse[32]. » Non qu'il relativise la morale et la pratique religieuse, mais il les remet à leur juste place au regard de l'Évangile : l'amour et la miséricorde sont le principe et la finalité de toute prédication chrétienne. Telle est la raison pour laquelle il avait choisi pour devise épiscopale : « Appelé et sauvé par la Miséricorde ». Tout au long de son ministère, il a cherché à mettre ses pas dans ceux de Jésus dont la vie entière est mise en pratique de l'amour et de la miséricorde. François appelle aujourd'hui les pasteurs de l'Église à faire de même : « Je vois avec clarté que la chose dont a le plus besoin l'Église aujourd'hui, c'est la capacité de soigner les blessures et de réchauffer le cœur des fidèles, la proximité, la convivialité. Je vois l'Église comme un hôpital de campagne après une bataille. Il est inutile de demander à un blessé grave s'il a du cholestérol ou si son taux de sucre est trop élevé ! Nous devons soigner les blessures. Ensuite, nous pourrons aborder le reste. » Et il précise encore ce qu'il faut entendre par là :

« L'Église s'est parfois laissé enfermer dans des petites choses, de petits préceptes. Le plus important est la première annonce : "Jésus-Christ t'a sauvé !" Les ministres de l'Église doivent être avant tout des ministres de miséricorde [...], prendre soin des personnes, les accompagner comme le bon Samaritain qui lave et relève son prochain. C'est l'Évangile à l'état pur. Dieu est plus grand que le péché [...]. Les ministres de l'Évangile doivent être des gens capables de réchauffer le cœur des personnes, de dialoguer et de cheminer avec elles, de descendre dans leur nuit, dans leur obscurité, sans se perdre. Le peuple de Dieu veut des pasteurs, pas des fonctionnaires ou des clercs d'État[33]. »

*L'Église : un hôpital de campagne après une bataille*

François s'inspire aussi du Christ dans la fermeté avec laquelle il condamne l'hypocrisie de certains clercs qui exigent des fidèles une conduite morale exemplaire qu'ils sont eux-mêmes bien incapables de suivre. Jésus a dénoncé en effet avec une grande violence l'hypocrisie religieuse de certains scribes, docteurs de la Loi ou pharisiens (membres d'un courant du judaïsme fondé sur l'étude de la Torah et dont il faisait lui-même partie). Voici un passage de l'Évangile de Matthieu qui résume bien ce qu'on pourrait appeler l'« anticléricalisme » de Jésus, car au-delà des autorités religieuses de son temps, c'est l'abus de pouvoir, la mondanité spirituelle, l'hypocrisie des représentants des religions à toutes les époques et en tous lieux qui pourraient être ici visés par ce passage :

« Alors Jésus, parlant à la foule et à ses disciples, dit : "Les scribes et les pharisiens sont assis dans la chaire de Moïse. Faites donc et observez tout ce qu'ils vous disent ; mais n'agissez pas selon leurs œuvres. Car ils disent et ne font pas. Ils lient des fardeaux pesants et les mettent sur les épaules des hommes, mais ils ne veulent pas les remuer du doigt. Ils font toutes leurs actions pour être vus des hommes. Ainsi, ils portent de larges phylactères et ils ont de longues franges à leurs vêtements ; ils aiment la première place dans les festins et les premiers sièges dans les synagogues ; ils aiment à être salués dans les places publiques et à être appelés par les hommes Rabbi, Rabbi. Mais vous, ne vous faites pas appeler Rabbi ; car un seul est votre Maître, et vous êtes tous frères. Et n'appelez personne sur la terre votre père ; car un seul est votre Père, celui qui est dans les cieux. [… ] Malheur à vous, scribes et pharisiens hypocrites ! parce que vous payez la dîme de la menthe, de l'aneth et du cumin, et que vous laissez ce qui est plus important dans la Loi : la justice, la miséricorde et la fidélité : c'est là ce qu'il fallait pratiquer, sans négliger les autres choses. Conducteurs aveugles qui coulez le moucheron et qui avalez le chameau ! Malheur à vous, scribes et pharisiens hypocrites parce que vous nettoyez le dehors de la coupe et du plat, et qu'au-dedans ils sont pleins de rapine et d'intempérance. Pharisien aveugle, nettoie premièrement l'intérieur de la coupe et du plat afin que l'extérieur aussi devienne net. Malheur à vous, scribes et pharisiens hypocrites, parce que vous ressemblez à des sépulcres blanchis qui paraissent beaux au-dehors et qui, au-dedans, sont pleins d'ossements de morts et de toute espèce d'impuretés. Vous de même, au-dehors vous paraissez justes aux hommes, mais, au-dedans, vous êtes pleins d'hypocrisie et d'iniquité » (Matthieu 23, 1-9.23-28).

Ce texte mérite explication. Au-delà de la condamnation de l'hypocrisie des clercs, Jésus opère ici un nouveau et profond bouleversement religieux. Dans une logique de séparation entre sacré et profane, la plupart des religions considèrent qu'il existe des aliments purs et impurs, des éléments naturels qui souillent l'être humain (les menstruations) et d'autres qui le purifient (l'eau, le feu), des personnes pures et des personnes impures (les intouchables en Inde, par exemple). Jésus rompt radicalement avec cette mentalité. En conversant longuement avec la Samaritaine, il se souille par deux fois aux yeux des religieux orthodoxes de son époque : il parle avec une pécheresse et avec une non-juive, tout comme il l'avait déjà fait en mangeant chez un publicain ou en se laissant toucher par une prostituée.

Il est tout aussi explicite pour ce qui concerne les ablutions rituelles ou les aliments : « Ce n'est pas ce qui entre dans la bouche qui souille l'homme, mais ce qui sort de sa bouche : voilà ce qui souille l'homme ! » (Matthieu 15, 11). Il procède ainsi à un véritable retournement : rien d'extérieur n'est pur ou impur, mais les impuretés viennent de l'intérieur du cœur humain. Peu importe ce que mange l'homme, aucun aliment n'est pur ou impur, aucune chose naturelle n'est pure ou impure (les règles de la femme, par exemple), ni a fortiori aucun être humain selon des critères extérieurs de naissance ou d'appartenance à un groupe ou à une caste. Ce qui est pur ou impur, c'est ce qui émane du cœur de l'homme, c'est ce qui sort de lui : paroles, pensées, actions. Tout est pur, venant de ceux qui ont le cœur pur.

Dans ses écrits ou ses homélies, François reprend souvent les paroles du Christ citées plus haut pour condamner avec fermeté les dérives cléricales et les contradictions entre paroles et actes de nombreux ecclésiastiques. Les cardinaux ont probablement élu le plus anticlérical d'entre eux ! Mais la grande force de ce pape, qui l'autorise à toutes les audaces, réside dans sa cohérence : il fait ce qu'il dit et dit ce qu'il fait. Je suis convaincu que c'est cette profonde cohérence qui va droit au cœur des gens. François émeut, de manière parfois quasi irrationnelle, parce qu'on sent qu'il est habité par ce qu'il dit.

Il convie évidemment tous ceux qui prêchent à se plier à cette mise en cohérence de leur propre vie : « Il est indispensable que le prédicateur ait la certitude que Dieu l'aime, que Jésus-Christ l'a sauvé, que son amour a toujours le dernier mot. [...] Mais s'il ne s'arrête pas pour écouter la Parole avec une ouverture sincère, s'il ne fait pas en sorte qu'elle touche sa vie, qu'elle le remette en question, qu'elle l'exhorte, qu'elle le secoue, s'il ne consacre pas du temps pour prier avec la Parole, alors, il sera un faux prophète, un escroc ou un charlatan sans consistance[34]. »

Comme je l'ai rappelé, François, malgré un emploi du temps extrêmement chargé, consacre plusieurs heures par jour à la prière, à la récitation des Psaumes et à la lecture de la Bible. C'est dans un tel ressourcement intérieur profond que les saints trouvent la force d'agir. Saint Vincent de Paul commençait ses journées harassantes par trois heures de prière silencieuse. On rencontre d'ailleurs cette exhortation au ressourcement dans la prière et la méditation dans toutes les religions. J'ai ainsi demandé un jour au dalaï-lama où il puisait cette énergie et cette joie permanentes qu'on lui connaît, malgré le poids des épreuves subies par son peuple. « Je médite tous les jours de 4 à 8 heures du matin », m'a-t-il simplement répondu.

Beaucoup se posent aussi la question de savoir si François va faire évoluer la position de l'Église sur toutes les questions de morale sexuelle. Le concile Vatican II avait laissé espérer à de nombreux catholiques que l'Église réviserait sa position qui n'envisage la sexualité que dans le cadre du mariage entre un homme et une femme en vue de la procréation. En 1968, dans son encyclique *Humanae Vitae*, le pape Paul VI a déçu leur attente en réaffirmant cette position doctrinale. En maintenant la condamnation des relations sexuelles hors mariage, celle de l'homosexualité et de la contraception par tous les moyens « artificiels » (pilule, préservatif, stérilet, etc.), il a suscité l'incompréhension d'un très grand nombre de fidèles dont beaucoup quittèrent alors l'Église. Le cardinal Etchegaray a évoqué à ce propos un véritable

« schisme silencieux ». En 2008, Benoît XVI a célébré les quarante ans de cette encyclique en réaffirmant la position de l'Église, bien qu'une grande majorité des fidèles ne suivent plus ses prescriptions en la matière et que la question du préservatif ait soulevé depuis de vives polémiques en raison de l'épidémie du sida.

À lire ses premières déclarations, François donne le sentiment qu'il ne remettra pas en cause la doctrine de l'Église sur ces questions brûlantes, car c'est toute la morale catholique reposant sur la loi naturelle qu'il conviendrait alors de revoir. Une telle remise en cause, qui me paraît à titre personnel indispensable (ne serait-ce que parce que l'amour et la miséricorde ne sont pas réductibles à des obligations relevant de la seule nature), ne semble pas à l'ordre du jour, même si le pape reconnaît que dans certaines situations la stricte application de la morale traditionnelle est inadaptée. Il en revient toujours au nécessaire discernement du cas par cas. Chaque fois qu'on l'interroge sur ces questions, il répond invariablement : « Vous connaissez la position de l'Église », avant de rappeler qu'il est nécessaire de s'adapter à la situation de chacun et de ne pas juger ni condamner les personnes qui transgressent les normes.

Dans son entretien avec le père Spadaro, il explique ainsi : « Un jour, quelqu'un m'a demandé de manière provocatrice si j'approuvais l'homosexualité. Je lui ai répondu par une autre question : "Dis-moi : Dieu, quand Il regarde une personne homosexuelle, en approuve-t-Il l'existence avec affection ou la repousse-t-Il en la condamnant ?" Il faut toujours considérer la personne. Nous entrons ici dans le mystère de l'homme. Dans la vie de tous les jours, Dieu accompagne les personnes et nous devons les accompagner à partir de leur condition. Il faut accompagner avec miséricorde[35]. »

On sent bien que ces questions de morale sexuelle l'embarrassent et qu'il souhaite en parler le moins possible – tout en demandant aux pasteurs de l'imiter, ainsi que nous l'avons vu. Autant du côté des progressistes que de celui des conservateurs, on ne manquera pas de lui intenter à ce propos un procès pour double langage. C'est le vieux débat autour de la fameuse « casuistique » des jésuites qui resurgira ainsi. La casuistique est un chapitre de la théologie morale qui vise à résoudre les cas de conscience en appliquant les grands principes théoriques aux situations concrètes. Les jésuites s'en sont faits les spécialistes hors pair et leurs adversaires les ont maintes fois accusés d'utiliser des arguments spécieux, de se montrer trop indulgents envers certains pécheurs. La question fut au cœur du conflit opposant les jésuites aux jansénistes qui leur reprochaient leur « laxisme moral ». On sait que Pascal, dans les *Provinciales*, aura pris avec mordant le parti des Jansénistes. Ce penchant des jésuites, dont François est en l'occurrence le digne héritier, à tenter d'adapter la doctrine aux situations de vie concrètes, est pourtant à l'évidence d'inspiration évangélique. Mais, du fait de cette souplesse, on se demande toujours ce que les disciples d'Ignace de Loyola pensent au fond d'eux-même de la justesse de la doctrine, d'où cette plaisanterie dont ils font l'objet : la seule chose que Dieu ne connaisse pas, c'est ce que pense vraiment un jésuite !

De fait, on peut fort bien comprendre le souci du pape François de placer l'amour au-dessus de la morale, de regarder et d'accompagner les personnes, de ne pas juger, d'éviter de trop mettre l'accent, dans la prédication, sur ces questions somme toute secondaires, mais à la manière dont il évite d'aborder le fond du problème, on peut se demander ce qu'il en pense au plus profond. Pour ce qui est de l'avortement et du mariage gay, la fermeté avec laquelle il s'y est toujours opposé en tant que cardinal donne à penser qu'il est intimement contre. Dans son Exhortation apostolique, le pape a d'ailleurs abordé la question de l'avortement en termes particulièrement forts : « Parmi ces faibles, dont l'Église veut prendre soin avec prédilection, il y a aussi les enfants à naître, qui sont les plus sans défense et innocents de tous, auxquels on veut nier aujourd'hui la dignité humaine afin de pouvoir en faire ce que l'on veut, en leur retirant la vie et en promouvant des législations qui font que personne ne peut l'empêcher. [...] cette défense de la vie à naître est intimement liée à la défense de tous les droits humains. Elle suppose la conviction qu'un être humain est toujours sacré et inviolable, dans n'importe quelle situation et en toute phase de son développement[36]. » Il est en revanche plus difficile de discerner ce qu'il pense intimement des autres questions concernant la sexualité, le divorce, la contraception, notamment l'usage du préservatif dans des situations particulières ou des pays où le sida fait rage.

On peut en ce domaine imaginer deux scénarios : soit le pape ne change rien au fond, se contentant d'infléchir la pastorale pour qu'elle aille dans le sens de la miséricorde plus que dans le rappel à la Loi ; soit il va chercher à préparer insensiblement les esprits à un profond débat de fond. Un indice ténu laisse augurer que ce second scénario n'a rien d'impossible : François a déjà engagé à l'automne 2013 une vaste consultation sur ces questions en envoyant un questionnaire aux évêques du monde entier en prévision des assemblées synodales qui les réuniront à Rome en 2014 et 2015, où les thèmes de la famille et de la sexualité seront abordés. Une telle démarche, qui constitue, me semble-t-il, une première dans l'Église, montre le souci du pape de prendre le pouls des fidèles sur ces problèmes si controversés.

Il n'est certes pas encore question de remise à plat doctrinale, mais simplement d'adaptation de la pastorale aux situations de vie des fidèles – de plus en plus en décalage avec les principes –, mais on sent bien que le pape souhaite connaître avec plus de précision, à l'échelle de la planète, ce qu'en pensent les fidèles. Composé de trente-neuf questions sur des sujets aussi sensibles que la contraception, la communion des divorcés remariés, le mariage gay et l'adoption par les couples homosexuels, ce questionnaire rencontre déjà un vif succès. La conférence épiscopale anglaise a été la première à ouvrir la consultation auprès de ses fidèles en le mettant en ligne : plus de quinze mille personnes avaient déjà répondu au bout de quinze jours, dont 74 % de fidèles de moins de soixante-cinq ans. Rien ne dit que les évêques se rangeront à l'avis de leurs ouailles, mais cette démarche en dit long sur le désir de François d'être à l'écoute de tous.

# QUATRIÈME PARTIE

# « Les prophètes sèment la pagaille[37] »

les cardinaux un discours bien différent dénonçant « le relativisme ambiant » et appelant l'Église à affirmer son identité. Une fois élu, Benoît XVI eut pour première préoccupation, on l'a vu, de tenter de réintégrer dans l'Église le mouvement intégriste issu du schisme de Mgr Lefebvre. La révélation des propos négationnistes de l'un des principaux prélats du mouvement et le refus des intéressés de reconnaître le décret sur la liberté religieuse du concile Vatican II firent échouer cette tentative.

François envisage les choses d'une tout autre manière : « Je préfère une Église accidentée, blessée et sale pour être sortie sur les chemins, plutôt qu'une Église malade de son enfermement et qui s'accroche confortablement à ses propres sécurités. Je ne veux pas d'une Église préoccupée d'être le centre et qui finit renfermée dans un enchevêtrement de fixations et de procédures[38]. » Quitte à prendre des risques, François préfère tendre la main aux innombrables personnes éloignées de l'Église ou qui s'en sont écartées, plutôt que chercher à rassurer les fidèles de sensibilité traditionaliste ou de tendre la main aux intégristes. Ses paroles à l'égard de ceux-ci sont sans ambiguïté : « Si le chrétien est légaliste ou cherche la restauration, s'il veut que tout soit clair et sûr, alors il ne trouvera rien. La tradition et la mémoire du passé doivent nous aider à avoir le courage d'ouvrir de nouveaux espaces à Dieu.

Celui qui, aujourd'hui, ne cherche que des solutions disciplinaires, qui tend de manière exagérée à la "sûreté" doctrinale, qui cherche obstinément à récupérer le passé perdu, celui-là a une vision statique et non évolutive. De cette manière, la foi devient une idéologie parmi d'autres[39]. »

Pour comprendre la portée de tels propos, il importe de mettre en perspective la pensée du pape au sein de l'histoire de l'Église qui, depuis l'avènement de la modernité, s'est progressivement repliée sur elle-même. La Renaissance marque en effet un tournant capital dans l'histoire de l'Europe, mais aussi dans celle de l'Église : face aux abus de pouvoir, à l'enrichissement et aux mœurs déréglées du clergé, le moine Luther rompt avec Rome (1517), fonde la Réforme protestante et tente de redonner un nouveau souffle évangélique au christianisme. En suscitant un schisme au sein de l'Église d'Occident (les Orientaux avaient déjà rompu avec l'Église romaine au XIe siècle), les protestants suscitent toutefois, chez les catholiques, une réaction identitaire telle qu'elle a pour effet de renforcer le rôle du pape et de la hiérarchie, des sacrements, du dogme, du contrôle clérical exercé sur la société. Bref, tout ce que les protestants rejettent, les catholiques l'accentuent dans un esprit de « Contre-Réforme » (concile de Trente) qui s'accompagne aussi, de manière plus positive, d'une moralisation des mœurs du clergé et, bientôt, de la fondation de nouveaux ordres religieux : Carmes (Thérèse d'Ávila et Jean de la Croix) ou Jésuites (Ignace de Loyola).

Les révolutions, l'avènement des démocraties et des droits de l'homme confortent l'Église romaine dans sa posture défensive par rapport au monde moderne. Directement visée par ce qu'elle perçoit à juste titre comme une nouvelle et sans doute ultime limite posée à son pouvoir temporel, l'institution catholique condamne en effet de toutes ses forces les « idées modernes ». Peu lui importe l'inspiration souvent évangélique de ces idées (liberté, égalité, fraternité) : elle y voit surtout l'amenuisement de son règne terrestre, à l'image de ses États pontificaux, bientôt réduits à la seule cité du Vatican. Certes, elle n'a pas tort de se scandaliser des massacres dont sont victimes ses fidèles, notamment lors de la Révolution française, ou de la manière dont on expulsera brutalement les religieux hors de leurs couvents. Mais ce qui est surtout en jeu, pour elle, c'est l'inversion définitive du rapport de force dans lequel elle a vécu depuis Constantin vis-à-vis du pouvoir civil. La séparation des pouvoirs et l'avènement des démocraties auraient pu l'incliner à reconsidérer positivement – c'est-à-dire spirituellement – son rôle. Il n'en a rien été. Les attaques répétées qu'elle a essuyées depuis la Renaissance n'ont fait finalement que renforcer son « intransigeance », pour reprendre le mot d'Émile Poulat, sur un plan doctrinal et moral.

Cette posture défensive et dogmatique culmine au milieu du XIXᵉ siècle avec le long pontificat de Pie IX. La lecture des nombreux textes promulgués par ce pape révèle la tendance paranoïaque qui a gagné le cercle des catholiques conservateurs, persuadés que l'Église romaine est victime d'un complot mondial fomenté par les socialistes, les francs-maçons, les communistes, les libres-penseurs et les philosophes, avec la complicité des catholiques libéraux contaminés par l'inspiration du diable.

Avant de clore son pontificat par la convocation du premier concile du Vatican et la promulgation du dogme de l'infaillibilité pontificale (1870), Pie IX publie en 1864 un texte au contenu tel qu'il conduit de nombreux intellectuels catholiques républicains à quitter l'Église ou à prendre leurs distances avec Rome : le *Recueil des principales erreurs de notre temps* (*Syllabus complectens praecipuos nostrae aetatis errores…*). Synthétisant en formules lapidaires la teneur de ses précédentes encycliques, le souverain pontife condamne en vrac : la liberté de conscience et de culte, les droits de l'homme, la liberté d'expression, le mariage civil, la séparation de l'Église et de l'État, la philosophie, l'athéisme, le protestantisme, le socialisme, etc. Il réaffirme *a contrario* qu'il n'est point de salut hors de l'Église, que celle-ci doit exercer un pouvoir temporel et détenir des possessions terrestres, qu'elle doit même à l'occasion pouvoir faire usage de la force.

Autre symptôme flagrant du raidissement de l'Église catholique : la liste des ouvrages et des auteurs mis à l'Index (c'est-à-dire condamnés) ne cesse de s'allonger. À côté d'innombrables théologiens considérés comme hérétiques, on retrouve les noms de grands scientifiques comme Copernic ou Galilée, la quasi-totalité des philosophes modernes, de Spinoza à Sartre en passant par Descartes, Pascal, Hobbes, Locke, Voltaire, Rousseau, Montesquieu, Freud et même Kant (pour sa *Critique de la raison pure* !). Mais il ne faudrait pas oublier non plus les écrivains qui sèment eux aussi la « peste des idées modernes », pour reprendre l'expression de Pie IX, et dont certains, pourtant, sont des catholiques engagés : Hugo, Dumas, Zola, Lamartine, Balzac, Flaubert, Renan, Gide, Kazantzákis, etc. Notons deux grands absents dans cette longue liste : Hitler et Staline. Vu de Rome, *Madame Bovary*, le roman de Flaubert, semble alors plus nocif que *Mein Kampf.*

Il faudra attendre 1966 pour que l'Église renonce à poursuivre ce laborieux travail de mise à l'Index. Le concile Vatican II vient alors de s'achever et a montré que l'Église a fait son deuil de l'idée d'une société intégralement chrétienne.

En 1958, Jean XXIII a succédé à Pie XII. Conscient que l'Église catholique ne peut plus rester enfermée dans sa posture sectaire, le nouveau pape convoque un concile destiné à repenser de fond en comble sa situation dans le monde moderne. Ouvert en 1962, clos en 1965 par Paul VI, le concile Vatican II marque un tournant capital dans l'histoire de l'Église catholique. C'est pourquoi il a été perçu par certains de ses acteurs phares non seulement comme une sortie de la logique intransigeante amorcée au concile de Trente, mais, mieux encore, comme la fin de l'ère constantinienne (ouverte par la conversion de l'empereur Constantin qui fit du christianisme la principale religion de l'Empire romain). Pour la première fois depuis le IVe siècle, l'Église prend acte du caractère exclusivement spirituel de sa mission, de la séparation de l'Église et de l'État, elle accepte les droits de l'homme et admet la liberté religieuse. Elle cesse de condamner en bloc les « erreurs du monde moderne » et prône un discernement critique constructif.

L'avancée la plus significative concerne ici la liberté religieuse, donc de conscience. Ce revirement spectaculaire lui vaut de connaître un schisme : celui de Mgr Lefebvre qui, bien plus que l'abandon de la messe en latin (retrouvée depuis lors grâce à Benoît XVI), n'a pas accepté ce qu'il considérait comme une abdication de l'Église face au pluralisme et au relativisme moderne.

L'Église catholique s'ouvre par là au dialogue interreligieux et admet dorénavant que tous les hommes de bonne volonté peuvent être sauvés.

Enfin, et ce n'est pas la moindre des avancées, le concile prône un gouvernement plus collégial de l'institution ecclésiale et encourage les laïcs à prendre davantage de place dans l'organisation du culte et la vie de l'Église.

Avec le concile Vatican II, l'Église catholique a donc pris un virage spectaculaire, et on ne peut plus l'accuser de vouloir régenter la société comme par le passé. Les fidèles et une bonne partie du clergé ont intériorisé les valeurs clés du monde moderne, à commencer par la liberté de choix des individus. Pourtant, l'institution reste encore normative sur les plans moral et disciplinaire depuis l'encyclique *Humanae Vitae* de Paul VI (1968), qui condamne la contraception, jusqu'aux propos de Jean-Paul II et de Benoît XVI réaffirmant notamment leur hostilité à l'ordination d'hommes mariés et à la communion des divorcés remariés. Par ailleurs, la décentralisation romaine peine à se mettre en œuvre et les laïcs voient leur rôle évoluer relativement peu au sein d'une organisation qui demeure très cléricale et dont les femmes sont encore largement exclues.

Enfin, à partir de la fin du pontificat de Paul VI, le fonctionnement de la Curie romaine s'opacifie et les pontificats de Jean-Paul II et Benoît XVI sont marqués par une série de scandales, déjà énumérés précédemment, parmi lesquels ceux de la pédophilie de certains clercs et des malversations de la banque vaticane sont probablement les plus graves. La manière dont l'institution a longtemps tenté de dissimuler ces dérives, ne finissant par les reconnaître que lorsqu'il était devenu impossible de les nier, montre à quel point elle est encore trop centrée sur elle-même.

Sur les affaires de pédophilie, le cardinal Schönborn, le très probe archevêque de Vienne que le pape François vient de nommer à la nouvelle commission de surveillance de la banque du Vatican, a été le premier haut prélat à reconnaître et à déplorer que, jusqu'à la fin des années 1990, « les auteurs des faits aient été souvent plus protégés que les victimes[40] », avant que Benoît XVI n'engage enfin une lutte implacable contre ce fléau, admonestant les nombreux épiscopats jugés trop laxistes et affirmant « que la plus grande persécution de l'Église ne vient pas d'ennemis extérieurs, mais naît du péché de l'Église ».

Avec les éternelles dérives liées au pouvoir et à l'argent, avec, parfois encore, la persistance d'un moralisme clérical qui écrase les individus au lieu de les relever, c'est cette « sacralisation », ce nombrilisme de l'institution, qui constitue sans doute l'un des principaux obstacles à une pleine réconciliation de l'Église avec l'Évangile, donc aussi entre l'Église et les hommes et les femmes d'aujourd'hui. C'est ce que François a parfaitement saisi, et c'est la raison pour laquelle il fait de l'ouverture de l'Église l'un des principaux leitmotive de son pontificat.

## 2

# *Ouvrir les portes*

Le pape aimerait que les portes des édifices religieux soient toujours ouvertes afin que ceux qui passent puissent y entrer à tout moment du jour et de la nuit. De même, il souhaiterait que les règlements disciplinaires ne soient pas un obstacle opposé à ceux qui aspirent à fréquenter l'Église. Évêque à Buenos Aires, il avait demandé à ses prêtres d'accepter de baptiser des enfants dont les parents n'étaient pas « en règle » avec les lois de l'Église (couples concubins ou homosexuels, par exemple). Aussi, dans son Exhortation apostolique, invite-t-il l'Église à revoir « des normes et des préceptes ecclésiaux » qui ne sont pas directement issus de l'Évangile, mais constituent aujourd'hui un frein à sa diffusion. « L'Église "en sortie", écrit-il, est une Église aux portes ouvertes.

[…] Tous peuvent participer de quelque manière à la vie ecclésiale, tous peuvent faire partie de la communauté, et même les portes des sacrements ne devraient pas se fermer pour n'importe quelle raison. Cela vaut surtout pour ce sacrement qui est "la porte", le baptême. L'eucharistie, même si elle constitue la plénitude de la vie sacramentelle, n'est pas un prix destiné aux parfaits, mais un généreux remède et un aliment pour les faibles[41]. »

Ce dernier point mérite d'être souligné, car il laisse entrevoir la possibilité d'un changement d'attitude de l'Église vis-à-vis des divorcés remariés ou qui vivent en concubinage. Rappelons qu'actuellement un fidèle divorcé ne peut se remarier à l'église, les liens du mariage étant considérés comme indissolubles. Selon la discipline ecclésiale, un divorcé qui vit en couple (qu'il soit remarié civilement ou non) est en état de « péché ». Il lui est donc interdit de communier à la messe, puisqu'il vit dans un état durable de transgression de la norme. Du fait qu'il est, de nos jours, devenu courant de divorcer, de nombreux fidèles se voient ainsi exclus de la communion. Au regard de l'Évangile, cela peut surprendre, voire choquer, car Jésus ne cesse de rappeler qu'il est « venu sauver ce qui était perdu ».

Rappelons un autre passage de l'Évangile on ne peut plus explicite sur la question :

« Comme Jésus était à table dans la maison, voici, beaucoup de publicains et de gens de mauvaise vie vinrent se mettre à table avec lui et avec ses disciples. Les pharisiens virent cela, et ils dirent à ses disciples : "Pourquoi votre maître mange-t-il avec les publicains et les gens de mauvaise vie ?" Ce que Jésus ayant entendu, il dit : "Ce ne sont pas ceux qui se portent bien qui ont besoin de médecin, mais les malades. Allez, et apprenez ce que signifie : Je prends plaisir à la miséricorde, et non aux sacrifices. Car je ne suis pas venu appeler des justes, mais des pécheurs" (Matthieu 9, 10-13).

Pourquoi donc, de manière si opposée à la parole du Christ, refuser aux « pécheurs » la communion eucharistique pour la réserver aux « justes » ? Les prêtres qui interdisent la communion à ceux qu'ils estiment être des « gens de mauvaise vie » ne se comportent-ils pas comme ces pharisiens choqués de les voir manger à la table de Jésus ?

Nous touchons là à la question de l'institutionalisation de la foi, marquée par le poids grandissant, au fil des siècles, des règles de vie communautaire et du juridisme (le fameux droit canon) qui alourdit, parfois jusqu'à le dénaturer, le message de l'Évangile. Sans compter que bien des fidèles officiellement en règle avec les lois de l'Église se comportent, dans la vie, de manière contraire à l'esprit de l'Évangile – en jugeant les autres, en manquant cruellement d'amour ou de miséricorde –, alors que bien des « pécheurs », selon les lois ecclésiales, vivent l'essentiel du message du Christ : l'amour de Dieu et du prochain.

Le pape a bien conscience de ces problèmes puisqu'il ajoute : « Nous nous comportons fréquemment comme des contrôleurs de la grâce et non comme des facilitateurs. Mais l'Église n'est pas une douane, elle est la maison paternelle où il y a de la place pour chacun avec sa vie difficile[42]. » Reste maintenant à François, pour aller jusqu'au bout de sa pensée, à modifier les règles disciplinaires de l'Église, ou bien à demander encore plus explicitement aux pasteurs de ne pas hésiter à les transgresser – ce que certains, au demeurant, font déjà depuis longtemps !

Comme nous l'avons souligné à propos des intégristes, François ne considère pas ce qu'on appelle la « tradition » comme figée. Pour lui, cette tradition de l'Église doit sans cesse évoluer pour demeurer vivante. Elle doit tenir compte des questions et problèmes nouveaux propres à chaque époque et inhérents à l'évolution de la conscience humaine. Il insiste longuement sur cette question dans son entretien avec le père Spadaro :

« La compréhension de l'homme change avec le temps, et sa conscience s'approfondit aussi. Pensons à l'époque où l'esclavage ou la peine de mort étaient admis sans aucun problème. Ainsi, on grandit dans la compréhension de la vérité. Les exégètes et les théologiens aident l'Église à faire mûrir son propre jugement. Les autres sciences et leur évolution aident l'Église dans cette croissance en compréhension. Il y a des normes et des préceptes secondaires de l'Église qui ont été efficaces en leur temps, mais qui, aujourd'hui, ont perdu leur valeur ou leur signification. Il est erroné de voir la doctrine de l'Église comme un monolithe qu'il faudrait défendre sans nuances[43]. »

Parmi les changements qu'attendent de nombreux fidèles, compte tenu notamment de l'évolution des mentalités, figure, rappelons-le, la question de la place des laïcs dans l'Église, notamment celle des femmes. Si le concile Vatican II a demandé que les laïcs jouent un rôle plus important dans l'organisation de l'Église et s'ils y occupent certes, de nos jours, davantage de place qu'auparavant, l'institution reste encore essentiellement gouvernée à tous les échelons – pastorale, droit, gouvernement, communication, etc. – par des clercs. Quant aux femmes, elles demeurent encore trop souvent victimes d'une mentalité héritée du modèle patriarcal – les femmes à la maison pour s'occuper de la progéniture – et l'accès au sacerdoce leur est toujours fermé. François est bien conscient de la lenteur de l'évolution des mentalités au sein de l'Église et déplore que les laïcs, par manque de formation par suite d'« un cléricalisme excessif », ne soient pas davantage associés à la vie de l'institution[44]. Pour ce qui est des femmes, il précise : « Il faut encore élargir les espaces pour une présence féminine plus affirmée dans l'Église. [...] et dans les divers lieux où sont prises des décisions importantes, aussi bien dans l'Église que dans les structures sociales[45]. » Comme ses deux prédécesseurs, il ferme toutefois la porte à l'ordination des femmes – « [c']est une question qui ne se discute pas[46] » – à cause de motifs théologiques. La plupart des Églises protestantes ont depuis longtemps récusé ces raisons en ordonnant des femmes pasteurs, mais il est probable que l'Église catholique n'ouvrira pas ce débat avant longtemps.

Reste à voir comment François peut faciliter l'accès aux laïcs, et aux femmes en particulier, à davantage de responsabilités au sein de l'institution. Un signe fort consisterait à nommer plusieurs laïcs à la tête de dicastères. Le cardinal Maradiaga, qui préside le Conseil des huit cardinaux, a déjà déclaré que le Conseil pontifical pour la famille ne devrait plus nécessairement être dirigé par un cardinal. Pourquoi pas par une mère de famille ? François pourrait même créer une femme cardinal puisque le sacerdoce n'est théoriquement pas nécessaire pour recevoir une telle distinction, même si cela ne s'est jamais vu dans l'Église !

Autre question importante : celle de l'ordination d'hommes mariés. La tradition du célibat a longtemps coexisté avec celle du mariage, mais, au XII<sup>e</sup> siècle, pour s'adapter à l'évolution du droit féodal et afin d'éviter que les prêtres transmettent, par héritage, les biens d'Église à leurs enfants, l'Église a imposé le célibat comme règle s'imposant à tous. Cette règle s'est encore renforcée, au XVI<sup>e</sup> siècle, avec le concile de Trente, pour parer au relâchement des mœurs du clergé. Face aux évolutions sociales qui rendent plus difficile le célibat sacerdotal et à la crise de recrutement des prêtres en Occident, de nombreux théologiens prônent une réforme permettant à l'Église de continuer à ordonner des prêtres célibataires, mais aussi bien des hommes mariés, comme cela se pratique dans le monde orthodoxe et jusque chez des catholiques orientaux comme les maronites libanais. L'Église compte aussi des anciens ministres anglicans et protestants mariés admis au sacerdoce. Benoît XVI avait pourtant fermé le débat, et, au moment où j'écris ce livre, François ne s'est pas encore prononcé sur le sujet. Toutefois, le 8 septembre 2013, Mgr Pietro Parolin, nouveau secrétaire d'État tout juste nommé par le pape, rappelait dans un journal vénézuélien, relançant ainsi le débat, que le célibat des prêtres n'était pas un dogme et que cette question pouvait être discutée. Je ne serais donc pas étonné que le pape profite des prochains synodes des évêques, à Rome, pour aborder cette question encore sensible.

Par-delà ces questions de réformes internes, François cherche à ouvrir au plus grand nombre les portes de l'Église, non seulement pour les y accueillir, mais aussi pour aller vers ceux qui n'entreront jamais dans une église mais pourraient être touchés par la parole du Christ. C'est l'expérience qu'il a lui-même menée naguère dans les bidonvilles de Buenos Aires. Il prône ainsi une Église qui s'ouvre aux gens comme ils sont, avec leurs faiblesses, leurs limites, pour les aider à grandir.

Il est également convaincu que cette expérience du terrain, mais aussi de la périphérie, de la frontière, ne peut qu'être salutaire à l'Église, qu'elle ne peut que l'enrichir en l'obligeant à se décentrer, à sortir de ses conformismes, y compris ses habitudes de pensée. Parce qu'il a lui-même été longtemps sur le terrain, et sur un terrain périphérique, il a conscience que les belles doctrines ne fonctionnent pas toujours et qu'il faut sans cesse savoir les adapter. Il raconte à ce propos cette anecdote personnelle : « Pensons aux religieuses qui œuvrent en milieu hospitalier : elles vivent aux frontières. J'ai beaucoup de gratitude pour l'une d'elles. Quand j'ai eu un problème au poumon, à l'hôpital, le médecin m'a administré de la pénicilline et de la streptomycine à certaine dose. La sœur qui se tenait dans la salle a triplé la dose parce qu'elle avait du flair, elle savait quoi faire dans la mesure où elle se tenait toute la journée auprès des malades. Le médecin, qui était certes compétent, vivait dans son laboratoire ; la sœur vivait sur la frontière et dialoguait avec la frontière toute la journée [...]. La réflexion doit toujours partir de l'expérience[47]. »

Pour François, il est clair qu'en se renfermant trop sur elle-même et sur son passé l'Église est tombée malade. La guérison viendra, d'une part, d'un retour aux sources de l'Évangile, d'une relation plus forte et plus vivante de tous ses membres – à commencer par les pasteurs – avec Dieu et avec le Christ, et, d'autre part, d'une sortie d'elle-même vers le monde et les gens tels qu'ils sont. On pourrait dire que l'ordonnance du Dr François pour aider l'Église à guérir de ses maux prescrit plus d'intériorité et plus de sortie. Ou, pour le dire encore autrement : plus de lien avec Dieu et avec les hommes et les femmes d'aujourd'hui.

## 3

# *Faire tomber les murs*

François souhaite ouvrir les portes, mais il aimerait aussi faire tomber les murs, à commencer ceux, incompréhensibles pour beaucoup, qui séparent les chrétiens entre eux : « Étant donné la gravité du contre-témoignage de la division entre chrétiens, particulièrement en Asie et en Afrique, la recherche de chemins d'unité devient urgente[48]. »

Les deux grands schismes – entre catholiques et orthodoxes au XIe siècle et entre catholiques et protestants au XVIe siècle – ont en effet marqué de profondes ruptures. Pourtant, sur le contenu fondamental de la foi, rien ne sépare les trois grandes branches du christianisme. Toutes confessent le même credo, issu des conciles œcuméniques de Nicée et de Constantinople, qui reconnaît un Dieu unique en trois personnes et l'incarnation de la seconde personne de la Trinité en Jésus-Christ, vrai Dieu et vrai homme. Toutes reconnaissent le baptême et l'eucharistie comme les deux rituels fondamentaux, issus de la tradition des apôtres. Les divergences portent sur certaines interprétations doctrinales ultérieures à la tradition apostolique, sur des questions disciplinaires (comme l'ordination d'hommes mariés ou des femmes), sur les sacrements et sur l'organisation hiérarchique de l'Église, puisque les orthodoxes et les protestants récusent le modèle romain d'un pape au sommet d'une hiérarchie qui gouverne toute l'Église. Or c'est précisément sur ce point capital pour la réconciliation des Églises que François semble vouloir faire le plus de concessions. Dès les premiers instants de son pontificat, nous avons vu qu'il s'était présenté comme le simple évêque de Rome, il renoue ainsi avec la tradition des premiers siècles de l'Église où le pape n'était pas encore le « souverain pontife universel », mais l'évêque de Rome, successeur de l'apôtre Pierre (considéré comme le fondateur et le premier évêque de l'Église romaine).

Jusqu'au Ve siècle, l'autorité de l'Église était répartie en cinq « patriarcats » : ceux de Jérusalem, d'Antioche, de Constantinople, d'Alexandrie et de Rome. Il n'existait pas de hiérarchie entre eux, mais l'évêque de Rome a été considéré dès la fin du IIe siècle comme le *Primus inter pares* – le premier parmi ses pairs – du fait qu'il était le successeur de l'apôtre Pierre sur qui le Christ fonda l'Église. Cette primauté romaine s'exerçait avant tout dans la charité : l'évêque de Rome devait assurer l'unité de l'Église en maintenant des liens fraternels entre les différents patriarcats.

C'est au cours du IVe siècle que la primauté romaine s'affirma de manière plus autoritaire sous l'impulsion des empereurs romains qui firent de Rome le centre de la chrétienté. Le pouvoir de l'évêque de Rome n'a ensuite cessé de se renforcer et de s'étendre au fil des siècles, faisant ainsi émerger la figure du « pape » comme chef unique de l'Église universelle.

Au XIe siècle, le patriarche de Constantinople, sous des prétextes théologiques mineurs, rompt avec Rome pour échapper au pouvoir du pape, créant ainsi le premier grand schisme entre l'Église d'Orient (les orthodoxes) et l'Église d'Occident (les catholiques). Puis, comme nous l'avons vu, Luther et les réformateurs créent au XVIe siècle un nouveau schisme au sein de l'Église d'Occident en rejetant à leur tour le pouvoir centralisateur du pape.

Le mouvement œcuménique, qui vise à rapprocher les Églises catholique, orthodoxe et protestante, s'est développé au XXe siècle et a connu d'importants progrès avec le concile Vatican II. Mais la question de la primauté du pape sur l'ensemble de la chrétienté continue d'être l'un des principaux obstacles à l'unité des chrétiens. Jean-Paul II en était bien conscient, qui publia en 1995 une encyclique dans laquelle il interrogeait toutes les Églises sur le sens de la formule apostolique selon laquelle l'évêque de Rome « préside à la charité ». François se pose la même question, mais, tout en affirmant la priorité du dialogue œcuménique, il estime que l'Église doit commencer par se réformer de l'intérieur dans le sens d'une plus grande décentralisation du pouvoir : « Je ne crois pas non plus qu'on doive attendre du magistère papal une parole définitive ou complète sur toutes les questions qui concernent l'Église et le monde. Il n'est pas opportun que le pape remplace les Épiscopats locaux dans le discernement de toutes les problématiques qui se présentent sur leur territoire. En ce sens, je sens la nécessité de progresser dans une "décentralisation" salutaire[49]. »

En renonçant à une partie de ses prérogatives pour accorder plus de pouvoirs, y compris sur le plan doctrinal, aux Conférences épiscopales des différents pays et régions du monde, François peut ouvrir la voie à une décentralisation romaine qui facilitera d'autant le rapprochement avec les autres Églises afin de rendre un jour possible un gouvernement collégial d'une seule et unique Église chrétienne, constituée des traditions et courants de sensibilités différentes, fruit de sa longue histoire.

Pour parvenir un jour à cette unité et à cette collégialité, François commence par tenter de les instaurer au sein de l'Église catholique. La création d'un Conseil permanent composé de huit cardinaux, issus des cinq continents, pour l'aider à gouverner, constitue un premier pas dans cette direction. Et François de reconnaître qu'il s'inspire en cela du modèle de l'Église orthodoxe : « De nos frères orthodoxes nous pouvons en apprendre davantage sur le sens de la collégialité épiscopale et sur la tradition de la synodalité. L'effort de réflexion commune qui prend en considération la manière dont était gouvernée l'Église dans les premiers siècles, avant la rupture entre l'Orient et l'Occident, portera du fruit en son temps[50]. » Autrement dit : poursuivons ce travail de rapprochement œcuménique, mais soyons patients, car il prendra encore beaucoup de temps !

Lorsqu'il était évêque, Jorge Bergoglio rencontrait souvent des représentants des Églises protestantes, de plus en plus présentes en Amérique du Sud. Il lui arrivait même parfois de finir une messe à la manière spontanée et joyeuse des Évangéliques, et il avait pris l'habitude de prier une heure, chaque semaine, en compagnie du jardinier de l'archevêché, lequel était pentecôtiste. Je ne serais pas étonné qu'il invite les différentes Églises chrétiennes à prier davantage ensemble, et qu'il fasse tout pour parvenir un jour à ce qu'elles en viennent à partager la communion eucharistique, même si, sur cette question, ce sont les orthodoxes qui se montrent les plus réticents.

Autres murs que François aimerait bien faire tomber : ceux qui se sont dressés au cours de l'histoire entre les religions elles-mêmes. Dans son Exhortation apostolique, il écrit à ce sujet : « Une attitude d'ouverture en vérité et dans l'amour doit caractériser le dialogue avec les croyants des religions non chrétiennes, malgré les divers obstacles et les difficultés, en particulier les fondamentalismes des deux parties. Ce dialogue interreligieux est une condition nécessaire pour la paix dans le monde, et par conséquent est un devoir pour les chrétiens, comme pour les autres communautés religieuses[51]. »

S'il est peu familier des religions asiatiques, le pape connaît fort bien le judaïsme et l'islam. Il existe en effet d'importantes communautés juive et musulmane à Buenos Aires, et Jorge Bergoglio avait pris depuis longtemps l'habitude de rencontrer leurs responsables et de prier avec eux, y compris dans des synagogues ou des mosquées. Lors du regain de tension entre Israéliens et Palestiniens, à l'automne 2012, il organisa une prière pour la paix au Proche-Orient dans sa cathédrale, cérémonie à laquelle il convia les autorités juives et musulmanes, lesquelles assistèrent également à la messe inaugurale de son pontificat. Il a envoyé un message chaleureux aux musulmans du monde entier au début et à la fin du dernier ramadan, et devrait effectuer l'un de ses premiers voyages à l'étranger en Israël et dans les territoires palestiniens, fin mai 2014.

Il insiste longuement, dans son Exhortation apostolique, sur l'importance cruciale de l'amitié et du dialogue entre chrétiens, juifs et musulmans. À la suite du concile Vatican II et des papes qui l'ont précédé, il souligne notamment que « le dialogue et l'amitié avec les fils d'Israël font partie de la vie des disciples de Jésus. L'affection qui s'est développée nous porte à nous lamenter sincèrement et amèrement sur les terribles persécutions dont ils furent l'objet, en particulier celles qui impliquent ou ont impliqué des chrétiens[52] ».

Lorsqu'il était cardinal, Jorge Bergoglio a tissé des liens d'amitié puissants avec le rabbin Abraham Skorka, physicien, recteur du séminaire rabbinique latino-américain. Ensemble ils ont coécrit un livre et enregistré une trentaine d'émissions. « François est autant citoyen du monde que pape », confie cet ami de quinze ans[53].

François connaît un peu moins l'islam, mais il a souvent souligné les nombreux points communs rapprochant chrétiens et musulmans, et il écrit : « Nous chrétiens, nous devrions accueillir avec affection et respect les immigrés de l'Islam qui arrivent dans nos pays, de la même manière que nous espérons et nous demandons à être accueillis et respectés dans les pays de tradition islamique. [...] Face aux épisodes de fondamentalisme violent qui nous inquiètent, l'affection envers les vrais croyants de l'Islam doit nous porter à éviter d'odieuses généralisations, parce que le véritable Islam et une adéquate interprétation du Coran s'opposent à toute violence[54]. »

En 2005, le cardinal Bergoglio avait réuni les responsables des communautés juive et musulmane d'Argentine et tous avaient cosigné un texte condamnant le fondamentalisme et toutes formes de violences exercées au nom de Dieu.

# 4

## Le bien commun
## de notre humanité

Il existe encore bien des murs que François aimerait faire tomber, à commencer par celui qui sépare les croyants des incroyants. Alors qu'il était cardinal, il a fréquemment rappelé que la foi religieuse n'était pas le gage d'une conduite juste, et qu'il rencontrait bien souvent des personnes athées ou agnostiques témoignant d'un comportement plus exemplaire que maints croyants.

Plusieurs de ses amis sont athées et il a accordé son premier grand entretien à la presse en tant que pape à une personnalité connue comme tel, Eugenio Scalfari, fondateur de *La Repubblica*, le quotidien de gauche italien, ce qui fit grincer des dents les autres médias habituellement plus favorables à l'Église. Dans cet entretien mis en ligne en italien et en français le 1ᵉʳ octobre 2013 sur le site du journal, le pape déclara notamment : « Les pères conciliaires savaient que cette ouverture à la culture moderne était synonyme d'œcuménisme religieux et de dialogue avec les non-croyants. Après eux, on fit bien peu dans cette direction. J'ai l'humilité et l'ambition de vouloir le faire. » Et, se référant au message de Jésus, il rappelle plus loin que ce n'est pas le prosélytisme, mais « l'amour pour autrui qui est le levain du bien commun ».

Face aux défis du monde moderne, il lui semble en effet capital de dépasser toutes les querelles religieuses ou de croyances pour agir en fonction du bien de l'humanité : « Comme croyants, nous nous sentons proches aussi de ceux qui, ne se reconnaissant d'aucune tradition religieuse, cherchent sincèrement la vérité, la bonté, la beauté, qui pour nous ont leur expression plénière et leur source en Dieu. Nous les voyons comme de précieux alliés dans l'engagement pour la défense de la dignité humaine, la construction d'une cohabitation pacifique entre les peuples et la protection de la Création[55]. »

Comme on l'a déjà souligné en évoquant son parcours biographique, le combat de Jorge Bergoglio en faveur de la dignité humaine est, avec sa foi dans le Christ, le fil conducteur de son existence. Il a toujours apporté son soutien à ceux que la vie plaçait sur son chemin : pauvres, exclus, femmes victimes de sévices ou d'esclavage sexuel, travailleurs clandestins exploités, jeunes drogués, malades et prisonniers. À peine élu pape, son premier voyage hors de Rome a été pour se rendre à Lampedusa, cette petite île au sud de l'Italie où viennent régulièrement s'échouer – mais parfois se noient avant d'y parvenir – des milliers de personnes fuyant les drames de leurs pays (Syrie, Libye, Soudan, Somalie, Irak, etc.). Voici quelques passages de l'homélie qu'il prononça sur place devant les autorités locales, une petite foule de bénévoles et de migrants, le 8 juillet 2013. Je souhaite en livrer ici d'assez larges extraits car, outre l'importance du propos, ils donnent une bonne idée du ton de sa prédication :

« Immigrés morts en mer, dans ces bateaux qui, au lieu d'être un chemin d'espérance, ont été un chemin de mort. Ainsi titrent des journaux. Il y a quelques semaines, quand j'ai appris cette nouvelle qui malheureusement s'est répétée tant de fois, ma pensée y est revenue continuellement comme une épine dans le cœur qui apporte de la souffrance. Et alors j'ai senti que je devais venir ici aujourd'hui pour prier, pour poser un geste de proximité, mais aussi pour réveiller nos consciences afin que ce qui est arrivé ne se répète pas. Que cela ne se répète pas, s'il vous plaît ! [...] Ils cherchaient un sort meilleur pour eux et pour leurs familles, mais ils ont trouvé la mort.

Combien de fois ceux qui cherchent cela ne trouvent pas compréhension, ne trouvent pas accueil, ne trouvent pas solidarité ! Et leurs voix montent jusqu'à Dieu ! [...] Qui est le responsable du sang de ces frères et sœurs ? Personne ! Tous nous répondons ainsi : ce n'est pas moi, moi je ne suis pas d'ici, ce sont d'autres, certainement pas moi. Mais Dieu demande à chacun de nous : "Où est le sang de ton frère qui crie vers moi ?" Aujourd'hui, personne dans le monde ne se sent responsable de cela ; nous avons perdu le sens de la responsabilité fraternelle. [...] Dans ce monde de la mondialisation, nous sommes tombés dans la mondialisation de l'indifférence. Nous sommes habitués à la souffrance de l'autre, cela ne nous regarde pas, ne nous intéresse pas, ce n'est pas notre affaire ! Revient la figure de l'Innommé de Manzoni. La mondialisation de l'indifférence nous rend tous "innommés", responsables sans nom et sans visage. [...] Qui a pleuré pour la mort de ces frères et sœurs ? Qui a pleuré pour ces personnes qui étaient sur le bateau ? Pour les jeunes mamans qui portaient leurs enfants ? Pour ces hommes qui désiraient quelque chose pour soutenir leurs propres familles ? Qui a pleuré aujourd'hui dans le monde ? [...] Père, nous te demandons pardon pour celui qui s'est accommodé et s'est enfermé dans son propre bien-être qui porte à l'anesthésie du cœur, nous te demandons pardon pour ceux qui, par leurs décisions au niveau mondial, ont créé des situations qui conduisent à ces drames. Pardon, Seigneur[56] ! »

La question de la justice à l'échelle mondiale est au cœur des préoccupations du nouveau pape. Depuis son élection, François a multiplié les discours et les écrits sur ce thème en exhortant notamment tous les leaders politiques et économiques de la planète à déployer davantage d'efforts pour assainir un système qui ne cesse d'accroître les injustices et les inégalités. Ainsi, par exemple, a-t-il écrit en septembre 2013 à Vladimir Poutine, lors de la réunion du G20 qui se tenait sous sa présidence, pour demander aux principaux pays industrialisés de s'impliquer davantage dans des politiques de justice sociale et pour la paix dans le monde, notamment en Syrie. Mettant ses pas dans ceux de Jean-Paul II qui avait renvoyé dos à dos, comme deux systèmes pervers et destructeurs, le communisme (qu'il connaissait bien pour en avoir été victime) et le capitalisme ultralibéral, François s'en prend avec force à l'hégémonie mondiale de la finance et de l'argent-roi. Son Exhortation apostolique contient des pages si lucides et puissantes qu'il est aussi nécessaire d'en citer ici quelques extraits :

« De même que le commandement de "ne pas tuer" pose une limite claire pour assurer la valeur de la vie humaine, aujourd'hui, nous devons dire "non à une économie de l'exclusion et de la disparité sociale". Une telle économie tue. Il n'est pas possible que le fait qu'une personne âgée réduite à vivre dans la rue meure de froid ne soit pas une nouvelle, tandis que la baisse de deux points en Bourse en soit une. Voilà l'exclusion. On ne peut plus tolérer le fait que la nourriture se jette, quand il y a des personnes qui souffrent de la faim. C'est la disparité sociale. Aujourd'hui, tout entre dans le jeu de la compétitivité et de la loi du plus fort, où le puissant mange le plus faible. Comme conséquence de cette situation, de grandes masses de population se voient exclues et marginalisées : sans travail, sans perspectives, sans voies de sortie. On considère l'être humain en lui-même comme un bien de consommation qu'on peut utiliser et ensuite jeter. »

« Dans ce contexte, certains défendent encore les théories de la "rechute favorable" [il faut comprendre : "des retombées positives" – F. L.], qui supposent que chaque croissance économique, favorisée par le libre marché, réussit à produire en soi une plus grande équité et une inclusion sociale dans le monde. Cette opinion, qui n'a jamais été confirmée par les faits, exprime une confiance grossière et naïve dans la bonté de ceux qui détiennent le pouvoir économique et dans les mécanismes sacralisés du système économique dominant. En même temps, les exclus continuent à attendre. »

« Une des causes de cette situation est dans la relation que nous avons établie avec l'argent, puisque nous acceptons paisiblement sa prédominance sur nous et sur nos sociétés. La crise financière que nous traversons nous fait oublier qu'elle a, à son origine, une crise anthropologique profonde : la négation du primat de l'être humain ! Nous avons créé de nouvelles idoles. L'adoration de l'antique veau d'or (cf. Ex 32, 1-35) a trouvé une nouvelle et impitoyable version dans le fétichisme de l'argent et dans la dictature de l'économie sans visage et sans but véritablement humain. La crise mondiale qui investit la finance et l'économie engendre ses propres déséquilibres et, par-dessus tout, l'absence grave d'une orientation anthropologique qui réduit l'être humain à un seul de ses besoins : la consommation. »

« Alors que les gains d'un petit nombre s'accroissent exponentiellement, ceux de la majorité sont de plus en plus éloignés du bien-être de cette heureuse minorité. Ce déséquilibre procède d'idéologies qui défendent l'autonomie absolue des marchés et la spéculation financière. Par conséquent, ils nient le droit de contrôle des États chargés de veiller à la préservation du bien commun. Une nouvelle tyrannie invisible s'instaure, parfois virtuelle, qui impose ses lois et ses règles, de façon unilatérale et implacable. De plus, la dette et ses intérêts éloignent les pays des possibilités praticables par leur économie et les citoyens de leur pouvoir d'achat réel. S'ajoutent à tout cela une corruption ramifiée et une évasion fiscale égoïste qui ont atteint des dimensions mondiales. L'appétit du pouvoir et de l'avoir ne connaît pas de limites. Dans ce système, qui tend à tout phagocyter dans le but d'accroître les bénéfices, tout ce qui est fragile, comme l'environnement, reste sans défense par rapport aux intérêts du marché divinisé, transformés en règle absolue. »

« De nos jours, de toutes parts on réclame une plus grande sécurité. Mais tant que ne s'éliminent pas l'exclusion et la disparité sociales, dans la société et entre les divers peuples, il sera impossible d'éradiquer la violence. On accuse les pauvres et les populations les plus pauvres de violence, mais sans égalité de chances, les différentes formes d'agression et de guerre trouveront un terrain fertile qui tôt ou tard provoquera l'explosion.

Quand la société – locale, nationale ou mondiale – relègue à la périphérie une partie d'elle-même, il n'y a ni programmes politiques, ni forces de l'ordre ou d'*intelligence* qui puissent assurer sans fin la tranquillité. Cela n'arrive pas seulement parce que la disparité sociale provoque la réaction violente de ceux qui sont exclus du système, mais parce que le système social et économique est injuste à sa racine. De même que le bien tend à se communiquer, de même le mal auquel on consent, c'est-à-dire l'injustice, tend à répandre sa force néfaste et à saper silencieusement les bases de tout système politique et social, quelle que soit sa solidité. Si toute action a des conséquences, un mal niché dans les structures d'une société comporte toujours un potentiel de dissolution et de mort. C'est le mal cristallisé dans les structures sociales injustes, dont on ne peut pas attendre un avenir meilleur. Nous sommes loin de ce qu'on appelle la "fin de l'histoire", puisque les conditions d'un développement durable et pacifique ne sont pas encore adéquatement implantées et réalisées[57]. »

Ces propos incisifs ont semé la consternation chez de nombreux néoconservateurs américains qui accusent le pape de n'être qu'un « dangereux marxiste ». L'animateur radio Rush Limbaugh, par exemple, star des conservateurs américains, estima que « sa dénonciation du capitalisme débridé n'est qu'une attaque digne d'un socialiste contre le modèle américain ». Jonathan Moseley, membre influent du Tea Party, déclare quant à lui que le pape trahit Jésus-Christ, lequel aurait été « un capitaliste prêchant la responsabilité individuelle » et « saluant la recherche du profit ». Face à ces attaques, dans un entretien accordé à *La Stampa*, le pape s'est défendu de partager l'analyse marxiste et considère qu'il ne fait que redire, avec ses mots à lui et dans le contexte actuel, la doctrine sociale de l'Église. Une doctrine qui se rapproche beaucoup du modèle social-démocrate dans une perspective planétaire.

Parmi les conséquences désastreuses du consumérisme, François ne manque pas non plus d'évoquer les questions environnementales. Depuis le début de son pontificat, il est revenu à plusieurs reprises sur la nécessité de préserver l'environnement – auquel il appose le plus souvent le vocable chrétien de « Création » – et de laisser une planète viable aux générations futures. Mon ami, l'astrophysicien Hubert Reeves, avec qui j'ai coécrit un livre sur la protection de l'environnement me demandait récemment : « Comment se fait-il que, hormis le dalaï-lama, aucun leader religieux d'envergure mondiale ne s'engage dans la cause écologique alors que c'est une question de vie ou de mort pour l'humanité ? » Avec le pape François, c'est maintenant chose faite.

Lors de la Journée mondiale de l'environnement, le 5 juin 2013, il a consacré son audience

générale à ce thème, déclarant notamment :
« Lorsque nous parlons d'environnement, de la
Création, ma pensée va aux premières pages de
la Bible, au Livre de la Genèse où l'on affirme que
Dieu établit l'homme et la femme sur terre afin
qu'ils la cultivent et qu'ils la gardent (cf. 2, 15).
Cela suscite en moi les questions suivantes : Que
signifie cultiver et garder la terre ? Cultivons-
nous et gardons-nous vraiment la Création ? Ou
bien est-ce que nous l'exploitons et nous la négli-
geons ? Le verbe "cultiver" me remet à l'esprit le
soin que l'agriculteur prend de sa terre afin qu'elle
porte du fruit et que celui-ci soit partagé : combien d'attention, de passion et de dévouement !
Cultiver et garder la Création est une prescrip-
tion de Dieu donnée non seulement au début de
l'histoire, mais à chacun de nous : cela fait partie
de Son projet ; cela signifie faire croître le monde
avec responsabilité en le transformant afin qu'il
soit un jardin, un lieu vivable pour tous. »

Dans son Exhortation apostolique, il cite aussi
un texte de la Conférence épiscopale des Philippines
déplorant la disparition de nombreuses espèces
animales. Fidèle à son patronyme, François n'oublie pas d'appeler à la défense des animaux que
le saint d'Assise nommait « nos humbles frères » :
« Il y a d'autres êtres fragiles et sans défense, qui
très souvent restent à la merci des intérêts économiques ou sont utilisés sans discernement. Je

me réfère ici à l'ensemble de la Création. En tant qu'êtres humains nous ne sommes pas les simples bénéficiaires, mais les gardiens des autres créatures[58]. »

François ne compte pas en rester là puisqu'il a annoncé, fin janvier 2014, qu'il était en train de rédiger une encyclique sur les questions environnementales, ce qu'aucun pape n'avait encore fait avant lui.

## Épilogue

# *Le dernier pape ?*

Une des choses qui m'ont le plus étonné dès les premiers instants de son pontificat, c'est la distance que François a prise avec sa nouvelle charge. Il s'est présenté d'emblée non comme le pape de l'Église universelle, mais comme le simple évêque de Rome, renouant ainsi avec la tradition ancienne, et il n'a cessé depuis lors de multiplier les gestes et les paroles traduisant son souci d'en revenir à un gouvernement collégial de l'Église. Une Église qu'il souhaite plus modeste, plus simple, plus pauvre, plus près des souffrances humaines, plus évangélique. Une Église humble et généreuse, qui ressemblerait davantage à celle des premiers chrétiens.

S'il parvient à mener à terme toutes ses réformes, François pourrait bien être le dernier pontife conforme au modèle de la papauté instaurée depuis la fin de l'Antiquité. Marcel Gauchet a montré de manière remarquable comment, historiquement, le christianisme avait été « la religion de la sortie de la religion ». J'ai aussi repris ce thème dans *Le Christ philosophe*, en montrant comment ce caractère spirituel, éthique et universel du message du Christ avait travaillé en profondeur la culture occidentale pour la conduire jusqu'à la laïcité et aux droits de l'homme. François pourrait donc être « le pape de la sortie de la papauté », rompant une bonne fois avec la conception médiévale d'une Église omnipotente, gouvernée par une sorte de souverain, pour la ramener à sa vocation première, celle d'une communauté de croyants témoignant du message évangélique fondé sur le détachement, le service et l'amour. Certes, l'Église continuera d'élire des papes, mais ils ne détiendront plus le même pouvoir et seront avant tout les garants de l'unité et de l'amour fraternel, peut-être même au sein d'un christianisme réunifié.

Rappelons à ce propos une bien curieuse histoire : celle d'une ancienne prédiction selon laquelle François serait le dernier pape de l'Église catholique. Elle est issue de la fameuse *Prophétie des papes*, de saint Malachie[59]. Je ne suis pas un ardent adepte des prophéties, mais celle-ci est étonnante et a connu un fort retentissement dans l'histoire de l'Église.

Saint Malachie d'Armagh, évêque d'Irlande, est né en 1094 et est mort en 1148, à Clairvaux, dans les bras de son ami, le futur saint Bernard. Sa *Prophétie des papes* consiste en cent douze devises latines correspondant aux cent douze papes, depuis le bref règne de son contemporain Célestin II jusqu'au tout dernier pape de l'Histoire.

La publication de ces prophéties remonte en fait à 1595. Dans *Lignum vitae, ornamentum et decus Ecclesiae*, Arnold de Wion, un religieux bénédictin, entreprend de publier une histoire des personnages qui ont honoré l'ordre des Bénédictins et annexe à la biographie de Malachie le texte de cette prophétie. On ne sait trop si Malachie en est l'auteur ou si c'est Arnold de Wion qui en a été l'inventeur – hypothèse la plus probable – puisqu'il n'en est jamais fait mention avant sa publication en cette toute fin du XVI<sup>e</sup> siècle. Elle connaît alors un immense succès. Pour sa part, l'Église ne s'est jamais prononcée sur son authenticité, mais elle ne l'a pas condamnée non plus et un certain nombre de papes firent frapper leurs monnaies et médailles avec mention de la devise que Malachie leur attribua.

Certaines de ces devises sont pour le moins surprenantes. Ainsi Pie VI (96ᵉ devise) est qualifié de « Voyageur apostolique ». Avant lui, les papes quittaient rarement Rome : or il est fait prisonnier des armées de la Révolution française qui s'emparent du Vatican, puis est trimballé de ville en ville, de Sienne à Turin, jusqu'à Grenoble et Valence où il meurt prisonnier en août 1799. Son successeur, Pie VII, « L'Aigle ravisseur » (97ᵉ), est enlevé et emprisonné par Napoléon Iᵉʳ (qui avait pris l'aigle pour emblème), en juillet 1809, à Savone puis à Fontainebleau d'où il ne sortit qu'avec la chute de l'aigle. Benoît XV (1914-1922) – « La Religion est dépeuplée » (104ᵉ) – vécut la Première Guerre mondiale et ses dizaines de millions de morts en Europe. La 110ᵉ devise, « Du travail du Soleil », concerne le pontificat de Jean-Paul II, pape venu de l'Est (où se lève le soleil), qui accomplit une tâche colossale. Son prédécesseur, l'éphémère Jean-Paul Iᵉʳ, dont le pontificat dura moins d'un mois, d'une demi-lune à l'autre demi-lune, a pour devise « De la moitié de la Lune ».

D'autres sont très floues et peuvent donner lieu à mille interprétations. Ainsi la 111ᵉ devise qui concerne le pontificat de Benoît XVI – « De la gloire de l'Olive » – semblait annoncer l'élection d'un pape juif (l'olivier est le symbole du judaïsme). Il n'en fut rien (le cardinal Lustiger aurait pu être élu s'il n'avait été gravement malade), et les exégètes de saint Malachie se creusent encore la cervelle pour savoir en quoi la mystérieuse sentence a pu concerner le cardinal Ratzinger, devenu Benoît XVI. Quant à son successeur, François, il clôt la prophétie et serait donc le dernier pape de l'Histoire. Contrairement aux brèves devises précédentes, la sienne est constituée d'un texte plus long et explicite : « Pendant la dernière persécution que souffrira la sainte Église romaine, siégera Pierre le Romain. Il paîtra les brebis au milieu de nombreuses tribulations. Celles-ci terminées, la ville aux sept collines [Rome] sera détruite : et le juge redoutable jugera le peuple. » Si l'on retient de cette phrase son sens littéral, elle mentionne la fin de l'Église et du monde. Autant le dire : je n'y crois pas un instant ! Mais si l'on prend ce texte de manière symbolique, il peut simplement annoncer la fin de l'Église romaine telle qu'elle a existé et existe encore dans sa forme actuelle. Le nom de « Pierre », qui caractérise le dernier pape, peut signifier un retour au christianisme originel, celui des premiers apôtres du Christ qui avaient Pierre à leur tête. Fin de cette petite histoire qui fait ici écho de manière amusante à la grande...

Comme l'a bien souligné le philosophe Henri Bergson, « la religion est comme la cristallisation, opérée par un refroidissement savant, de ce que le mysticisme vint déposer, "brûlant", dans l'âme de l'humanité. Par elle, tous peuvent obtenir un peu de ce que possédèrent pleinement quelques privilégiés[60] ». Le christianisme est ainsi né de l'expérience « brûlante » du Christ et de son Évangile. Expérience qui va se « refroidir » par l'institutionnalisation du mouvement, laquelle favorise en même temps son extension et sa durée. Mais cette expérience originelle va aussi connaître périodiquement un nouveau printemps à travers le prophétisme des saints « qui se trouvent être des continuateurs et des imitateurs originaux, mais incomplets, de ce que fut le Christ des Évangiles[61] ». Les grandes figures spirituelles de la chrétienté viennent souffler sur les braises toujours chaudes de l'Évangile.

Au début du XIII⁰ siècle, alors que l'Église, devenue riche et puissante, commence à perdre son âme, François d'Assise vit avec le Christ une expérience mystique qui le bouleverse et l'incite à créer un mouvement renouant avec l'idéal évangélique de pauvreté et d'amour. Le pape Innocent III commence par refuser de recevoir le *Poverello*, venu lui demander de valider sa nouvelle règle de vie religieuse, fondée sur la pauvreté radicale et la mendicité, afin d'éviter l'enrichissement des couvents. Le pape finit toutefois par accéder à sa requête... après avoir rêvé de François soutenant la basilique Saint-Jean-de-Latran, sur le point de s'écrouler, et interprété ce rêve comme le signe que Dieu avait choisi cet homme pour sauver l'Église de l'écroulement qui la menaçait.

Toute l'histoire de l'Église est ainsi une dialectique permanente entre la prophétie et l'institution. L'institution permet au message de traverser les siècles et de toucher le plus grand nombre : nous n'aurions peut-être jamais entendu parler de Jésus sans l'Église. La prophétie, portée par de grands mystiques, des saints, des personnages habités par la flamme de l'Évangile, bouscule en permanence l'institution, évitant qu'elle finisse par se scléroser.

Dans son entretien avec le père Spadaro, François évoque ainsi le fait que l'Église a toujours eu besoin de prophètes pour faire bouger les choses, secouer l'institution. Il précise que les prophètes sont là pour faire du bruit, pour « semer la pagaille » (*qualcuno dice casino*, en italien). Dans son Exhortation apostolique, il étend en ces termes la fonction prophétique aux questions économiques et sociales : « La dignité de la personne humaine et le bien commun sont au-dessus de la tranquillité de quelques-uns qui ne veulent pas renoncer à leurs privilèges. Quand ces valeurs sont touchées, une voix prophétique est nécessaire[62]. »

Nul doute que François – sans oser le dire, ni peut-être même le penser – parle ici de lui-même. Il est à la fois pape et prophète, et c'est à partir du sommet de l'institution qu'il tente de la réformer et de lui donner un nouveau souffle. Et s'il a tenu à associer les papes Jean XXIII et Jean-Paul II dans une seule et grande cérémonie de canonisation (le 27 avril 2014), n'est-ce pas parce que ces deux pontifes du XX^e siècle ont été, sans conteste, les plus prophétiques des temps modernes ? Le premier a eu l'audace de convoquer le concile Vatican II ; le second, malgré un fort conservatisme doctrinal, a, par nombre de gestes et paroles prophétiques, secoué les consciences au-delà même des frontières de l'Église catholique. Le premier incarne en quelque sorte le prophétisme de la réforme interne de l'institution ; le second, le prophétisme de la mission vers l'extérieur.

Il semble que François ait hérité de cette double dimension ; il est en train de réformer en profondeur l'Église et s'impose déjà comme un extraordinaire annonciateur du cœur du message de l'Évangile : placer au-dessus de tout l'amour du prochain en vue de l'édification d'une fraternité humaine universelle.

# *Notes*

1. Pape François, *Evangelii gaudium*, « La joie de l'Évangile », Bayard Éditions/Cerf/Fleurus-Mame, 2013, § 97.
2. Pape François, *L'Église que j'espère*, Entretien avec le père Spadaro, Flammarion/ETUDES, 2013, p. 32.
3. Jorge Bergoglio et Abraham Skorka, *Sur la terre comme au ciel*, Robert Laffont, 2013.
4. Pape François, *L'Église que j'espère*, Entretien avec le père Spadaro, *op. cit.*, p. 44.
5. Assemblée permanente pour les droits de l'homme.
6. Voir sur ce sujet le dossier très complet proposé par Evangelina Himitian, *François, un pape surprenant*, Presses de la Renaissance, 2013, p. 58-75 et 229-256.
7. *Ibid.*
8. *Ibid.*, p. 106-107.
9. Caroline Pigozzi, Henri Madelin, *Ainsi fait-il*, Plon, 2013.
10. *Ibid.*, p. 73.
11. Pape François, « La joie de l'Évangile », *op. cit.*, § 198.

12. On sait aujourd'hui qu'une erreur de datation a fait naître Jésus en l'an 0 de notre ère alors qu'il est né en fait cinq ou six ans plus tôt, sous le règne du roi Hérode, lequel est décédé en – 4.

13. Les longs passages des Évangiles cités dans ce livre sont extraits de leur traduction en français par Louis Segond.

14. « La joie de l'Évangile », *op. cit.*, § 186.

15. *Ibid.*, § 198.

16. *Ibid.*, § 7.

17. *Ibid.*, § 274.

18. Discours aux évêques italiens, 23 mai 2013.

19. Saint Augustin, Lettre 185.

20. Thomas d'Aquin, *Somme théologique*, II-II, question 11, article 3.

21. « La joie de l'Évangile », *op. cit.*, § 93.

22. Entretien accordé à *Schweiz am Sonntag*, 19 janvier 2014.

23. Cité par *Le Journal du dimanche*, 12 janvier 2014.

24. Déclaration du pape François aux journalistes, 29 juillet 2013.

25. Baruch Spinoza, *Éthique*, V, proposition XLII.

26. *Ibid.*, démonstration.

27. « La joie de l'Évangile », *op. cit.*, § 39.

28. *L'Église que j'espère, op. cit.*, p. 92.

29. « La joie de l'Évangile », *op. cit.*, § 35.

30. *La Repubblica*, 11 septembre 2013.

31. Baruch Spinoza, *Traité théologico-politique*, chap. IV.

32. *L'Église que j'espère, op. cit.*, p. 73.

33. *Ibid.*, p. 68-69.

34. « La joie de l'Évangile », *op. cit.*, § 151.

35. *L'Église que j'espère, op. cit.*, p. 71.

36. « La joie de l'Évangile », *op. cit.*, § 213.

37. *L'Église que j'espère, op. cit.*, p. 74.

38. « La joie de l'Évangile », *op. cit.*, § 49.

39. *L'Église que j'espère, op. cit.*, p. 109.

40. Sur ce dossier, je renvoie à la synthèse remarquablement documentée et sourcée de Wikipédia : « Abus sexuels sur mineurs dans l'Église catholique ».

# Notes

41. « La joie de l'Évangile », *op. cit.*, § 46 et 47.
42. *Ibid.*, § 47.
43. *L'Église que j'espère*, *op. cit.*, p. 132.
44. « La joie de l'Évangile », *op. cit.*, § 102.
45. *Ibid.*, § 103.
46. *Ibid.*, § 104.
47. *L'Église que j'espère*, *op. cit.*, p. 130.
48. « La joie de l'Évangile », *op. cit.*, § 246.
49. *Ibid.*, § 16.
50. *L'Église que j'espère*, *op. cit.*, p. 76.
51. « La joie de l'Évangile », *op. cit.*, § 250.
52. *Ibid.*, § 248.
53. *Ainsi fait-il*, *op. cit.*, p. 52.
54. « La joie de l'Évangile », *op. cit.*, § 253.
55. *Ibid.*, § 257.
56. Texte intégral et traduction sur le site internet de *La Vie*.
57. « La joie de l'Évangile », § 53, 54, 55, 56, 59. L'intégralité du texte traduit en français est disponible sur le site du Vatican : www.vatican.va
58. « La joie de l'Évangile », *op. cit.*, § 215.
59. Jean-Luc Maxence, *Les Secrets de la prophétie de saint Malachie*, Dervy, 2005.
60. Henri Bergson, *Les Deux Sources de la morale et de la religion*, PUF, 1997, p. 252.
61. *Ibid.*, p. 254.
62. « La joie de l'Évangile », *op. cit.*, § 218.

# Table

# Du même auteur
(ouvrages disponibles)

FICTION

*Nina*, avec Simonetta Greggio, roman, Stock, 2013.

*L'Âme du monde*, conte de sagesse, NiL, 2012 ; version illustrée par Alexis Chabert, NiL, 2013.

*L'Oracle della Luna*, tome 1 : *Le Maître des Abruzzes*, scénario d'une BD dessinée par Griffo, Glénat, 2012, tome 2 : *Les Amants de Venise*, 2013.

*La Parole perdue*, avec Violette Cabesos, roman, Albin Michel, 2011 ; Le Livre de Poche, 2012.

*Bonté divine !*, avec Louis-Michel Colla, théâtre, Albin Michel, 2009.

*L'Élu, le fabuleux bilan des années Bush*, scénario d'une BD dessinée par Alexis Chabert, Écho des savanes, 2008.

*L'Oracle della Luna*, roman, Albin Michel, 2006 ; Le Livre de Poche, 2008.

*La Promesse de l'ange*, avec Violette Cabesos, roman, Albin Michel, 2004, Prix des Maisons de la Presse 2004 ; Le Livre de Poche, 2006.

*La Prophétie des deux Mondes*, scénario d'une saga BD dessinée par Alexis Chabert, 4 tomes, Écho des savanes, 2003-2008.

*Le Secret*, conte, Albin Michel, 2001 ; Le Livre de Poche, 2003.

Essais et documents

*Du bonheur, un voyage philosophique*, Fayard, 2013.
*La Guérison du monde*, Fayard, 2012.
*Petit traité de vie intérieure*, Plon, 2010 ; Pocket, 2012.
*Comment Jésus est devenu Dieu*, Fayard, 2010 ; Le Livre de Poche, 2012.
*La Saga des francs-maçons*, avec Marie-France Etchegoin, Robert Laffont, 2009 ; Points, 2010.
*Socrate, Jésus, Bouddha*, Fayard, 2009 ; Le Livre de Poche, 2011.
*Petit traité d'histoire des religions*, Plon, 2008 ; Points, 2011.
*Tibet, 20 clés pour comprendre*, Plon, 2008, Prix « Livres et droits de l'homme » de la ville de Nancy ; Points, 2010.
*Le Christ philosophe*, Plon, 2007 ; Points, 2009.
*Code Da Vinci, l'enquête*, avec Marie-France Etchegoin, Robert Laffont, 2004 ; Points, 2006.
*Les Métamorphoses de Dieu*, Plon, 2003, Prix européen des écrivains de langue française 2004 ; Pluriel, 2005.
*L'Épopée des Tibétains*, avec Laurent Deshayes, Fayard, 2002.
*La Rencontre du bouddhisme et de l'Occident*, Fayard, 1999 ; Albin Michel, « Spiritualités vivantes », 2001 et 2012.

Entretiens

*Dieu*, Entretiens avec Marie Drucker, Robert Laffont, 2011 ; Pocket, 2013.
*Mon Dieu… Pourquoi ?*, avec l'abbé Pierre, Plon, 2005.
*Mal de Terre*, avec Hubert Reeves, Seuil, 2003 ; Points, 2005.

*Le Moine et le Lama*, avec Dom Robert Le Gall et Lama Jigmé Rinpoché, Fayard, 2001 ; Le Livre de Poche, 2003.

*Sommes-nous seuls dans l'univers ?*, avec J. Heidmann, A. Vidal-Madjar, N. Prantzos et H. Reeves, Fayard, 2000 ; Le Livre de Poche, 2002.

*Entretiens sur la fin des temps*, avec Jean-Claude Carrière, Jean Delumeau, Umberto Eco, Stephen Jay Gould, Fayard, 1998 ; Pocket, 1999.

*Les Trois Sagesses*, avec M.-D. Philippe, Fayard, 1994.

*Le Temps de la responsabilité. Entretiens sur l'éthique*, postface de Paul Ricœur, Fayard, 1991, nouvelle édition, Pluriel, 2013.

DIRECTION D'OUVRAGES ENCYCLOPÉDIQUES

*La Mort et l'immortalité. Encyclopédie des croyances et des savoirs*, avec Jean-Philippe de Tonnac, Bayard, 2004.

*Le Livre des sagesses*, avec Ysé Tardan-Masquelier, Bayard, 2002 et 2005 (poche).

*Encyclopédie des religions*, avec Ysé Tardan-Masquelier, 2 volumes, Bayard, 1997 et 2000 (poche).

www.fredericlenoir.com

*Impression réalisée par*
*CPI BRODARD ET TAUPIN*
*La Flèche*

*pour le compte des Éditions Fayard*
*en février 2014*

*Imprimé en France*
Dépôt légal : février 2014 – N° d'impression : 3004331
12-57-7777-8/01